Les sorcière

Yak Rivais et Michel Laclos

Les sorcières sont N.R.V.

Illustrations de Yak Rivais

Neuf

l'école des loisirs

11, rue de Sèvres, Paris 6ᵉ

ISBN 978-2-211-05503-1

© 1988, l'école des loisirs, Paris
Loi numéro 49.956 du 16 juillet 1949 sur les publications
destinées à la jeunesse : avril 1988
Dépôt légal : décembre 2007
Imprimé en France par Bussière
à Saint-Amand-Montrond
N° d'impr. : 073887/1. – N° d'édit. : 5573.

Sommaire

Attention!

Ce livre est infesté de sorcières! Elles se sont cachées dans l'encre et elles mettent leur désordre partout. Dans le premier conte, par exemple, elles ont remplacé LE par LA et inversement. Vous vous rendez compte! LA père de LA petit garçon est UNE homme et SON mère est UN femme!

Et si encore elles n'avaient joué que ce tour! Mais dans chaque nouveau conte, elles ont tendu un nouveau piège! Elles sont terriblement rusées! Écoutez-les hurler!

AU REVOIR!

ON VA RIRE!

Vous voyez! Encore un de leurs tours!

Le petite sorcière

Il était un fois un petite sorcière qui aurait aimé être bonne. Mais chaque fois qu'elle essayait de faire la bien, elle déclenchait un catastrophe.

Une jour, elle vit dans le forêt une méchant ogre qui s'apprêtait à dévorer une petit garçon. D'ordinaire, les ogres et les sorcières sont amis. Mais le petite sorcière s'émut à le pensée que la petit garçon serait mangé. Elle cria son formule magique et Plouf! Plouf! Patatras! la ogre devint une ananas. Hélas! La petit garçon se jeta sur la fruit et le dévora! Le petite sorcière était malheureuse car elle détestait faire la mal, et elle venait malgré elle de faire périr une ogre!

Elle revint lentement dans son maison. Elle sanglotait: jamais je ne réussirai à être bonne, c'est trop difficile!

A quelque temps de là, la fils de la roi vint visiter le ville. On fit savoir à son de trompe qu'il épouserait le jeune fille la plus gentille qu'il rencontrerait. Le petite sorcière se rendit sur la chemin de la cortège, afin de voir passer la prince charmant. Mais elle reconnut toutes les mauvaises sorcières de la pays qui s'étaient déguisées pour comploter une mauvais coup.

– Que veulent-elles faire? s'écria le petite sorcière.

Elle comprit que les vilaines sorcières s'apprêtaient à changer les demoiselles en sauterelles! Le pauvre petite sorcière n'avait pas la pouvoir de les en empêcher! Si elle avait été méchante, elle se serait réjouie de voir les filles devenir toutes vertes et sauter dans les rues en stridulant. Mais elle désirait devenir bonne, et sa cœur s'émouvait de pitié.

– Oh! Il y a une moyen d'empêcher cela! pensa-t-elle subitement.

Cette moyen, toutes les sorcières le connaissent. Il consiste à se sacrifier soi-même. Le petite sorcière n'hésita pas: Plouf! Plouf! Patapon! Transforme-moi en oignons!

Elle devint un grosse botte d'oignons. Et, comme vous le savez, les oignons empêchent les sorcières de pratiquer leurs maléfices! Elles se mirent à hurler de colère en tourbillonnant dans le rue comme un tempête! Tout la monde avait très peur, mais les sorcières étaient devenues bel et bien impuissantes cette jour-là! Elles se retirèrent en criant des chapelets de gros mots!

La prince ne sut jamais ce qui s'était passé. Il rencontra un jeune demoiselle très gentille qu'il épousa sur-la-champ. On donna des fêtes magnifiques dans la pays pendant sept jours et sept nuits, et il y eut une grand bal. Puis, le fête terminée, les balayeurs nettoyèrent le ville. L'une d'eux ramassa le botte d'oignons dans la caniveau. Il s'apprêtait à la jeter dans le poubelle quand un grande lumière bleue éclaira tout à coup le rue.

– Hé! s'écria la homme effrayé. Qu'est-ce que c'est?

C'était le Reine des Fées qui arrivait! Elle posa son baguette magique sur le botte d'oignons. Et voilà que les oignons se transformèrent en un petite fée rose avec un baguette toute neuve pour faire la bien. Le petite sorcière était enfin bonne. Elle était fière et très heureuse. Le Reine des Fées la chargea de veiller sur la jeune couple princier, et le petite fée rose s'acquitta si bien de son tâche qu'il n'arriva jamais rien à la prince et son femme et qu'ils moururent d'ennui. (C'est vraiment très difficile de faire la bien, comme vous voyez!)

C'est depuis cette jour que chez les sorcières (chez vous aussi, peut-être?) on dit à quelqu'un qui se mêle de ce qui ne le regarde pas, de «s'occuper de ses oignons».

Tous les articles, adjectifs possessifs et adjectifs démonstratifs sont faux.

Modifie une fable de La Fontaine:

Maître Corbeau sur une arbre perché,
Tenait en sa bec une fromage...

Modifie un poème, par exemple, celui-ci de Jacques Prévert :

Dans le nuit de la hiver
Galope une grand homme blanc
C'est une bonhomme de neige
Avec un pipe en bois…

Modifie un résumé d'histoire, de science, de géographie :

Le Terre est ronde. La Soleil se lève à la est et se couche à la ouest…

Modifie un article du journal :

La joueur de football a marqué une but…

Corrige la publicité :

De la pain, de la vin, de la Boursin !

Mais tu peux également essayer d'écrire un texte toi-même !
Voici une phrase imaginée par un petit farceur de ton âge :

La père de la petit garçon fumait une cigare dans une fauteuil pendant que le mère essuyait le vaisselle avec une torchon.

La sorcière et l'ascenseur

Il était une fois, rue Dimentaire, une sorcière qui s'appelait Mélusine Enfaillite. Elle demeurait près du pont Pabra. Elle était méchante. Elle élevait un rat et un vieux hibou.

Elle détestait les enfants. Ceux de son immeuble s'appelaient Vivien Icikantontapel, Natacha Perché, Jean Bonneau, Augustin Tamar et son frère Célestin Tamar, Odette de Jeu (qui était noble), Paulo Comotive, dont le papa travaillait à la Gare Garisme, et Oscar Amel qui était très mou.

Une nuit, la sorcière piégea l'ascenseur. Elle avait craché sur la porte en grommelant sept fois la formule magique :

Plouf! Plouf! Et ratatouille!
Par la limace et la grenouille!
Quand ils viendront dans ta cabine!
Dévore gamins et gamines!

Et c'est bien ce qui arriva! Quand les enfants poussèrent la porte enchantée de l'ascenseur, elle se

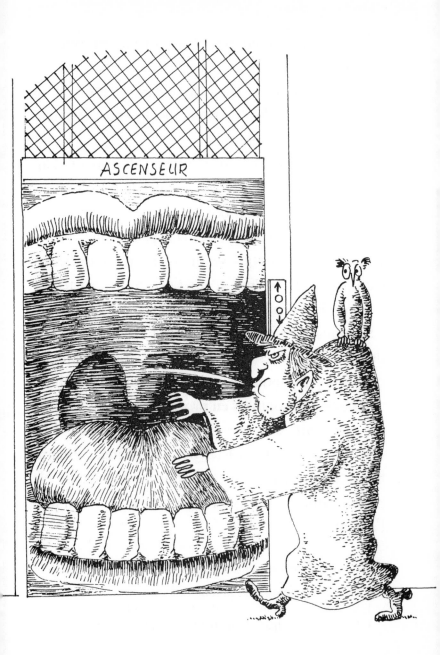

referma sur eux comme une bouche énorme, et GLOUP! elle les avala!

Pauvres enfants! Ils étaient dans le noir, et ils avaient beau hurler, personne ne les entendait dans le ventre de l'ascenseur!

Mais ce jour-là, par bonheur, il y avait dans l'immeuble une fillette qui s'appelait Nicole Aira. Elle était venue dire bonjour à sa grand-mère et c'était une véritable peste. (La petite fille, pas la grand-mère.) Dès qu'elle fut avalée par l'ascenseur cannibale, elle se mit à lui faire toutes sortes de misères. Elle chauffait ses parois avec des allumettes. Elle piquait des épingles dedans. Et même, elle jeta des boules puantes, si bien que l'ascenseur asphyxié ouvrit sa porte pour respirer… et recracha l'enfant.

Tous les prisonniers en profitèrent pour s'évader. La méchante sorcière en fut pour ses frais. Elle déménagea avenue d'Iste, près du château Pinambour. Si vous habitez ce quartier, méfiez-vous! Ne prenez jamais l'ascenseur! (Ne prenez pas non plus l'ascenfrère.)

Quelques renseignements sur cette sorcière:

Elle vit maintenant dans la tour Billon.
Elle a appelé son rat Tatouille et son hibou Rico.
Elle a un balai Opar et une boule de cristal Isman.

La dernière syllabe d'un mot sert de point de départ au mot suivant!

A la fin du XIXᵉ siècle, l'almanach Vermot popularisa le plus célèbre calembour français:

— COMMENT VAS-TU,
YAU DE POELE ?...

Dessin de Henriot, du 11 septembre 1896

Depuis lors, le calembour a fait recette. Voici des noms que tout le monde connaît:

Le Russe: Ivan Delabibine Ossouzof.
L'Espagnol: Alonzo Bistro.
Le Japonais: Yamamoto Kakapoté.
Le Polonais: Kiskaslagueulenski.
L'Arabe: Sidi Ben Basculante.

Des écrivains ont imaginé des noms amusants.
Au XVIIIᵉ siècle, le marquis de Bièvre:

L'abbé Quille.
La comtesse Tation.

Au XIXᵉ siècle, Alphonse Allais, qui se surnommait lui-même la vache Allais :

Laurent Bart.
Tony Truand.
Mac Larinett.
Le marquis de Saint-Gapour.
L'abbé Trave.
L'abbé Chamel.
L'abbé Kahn...

Au XXᵉ siècle, Pierre Dac :

Guy Landneuf.
Sylvain Étiré.
Mademoiselle Daré-Buffet.
Boniface Derat.
Hégésippe Hippoura...

Prends le calendrier, compose des noms à partir des prénoms.

Exemple : Gérard Manvuplubête.

Les simplets

Il était une fois un enfant un peu simple d'esprit et son père pas malin non plus. Le fils demandait :

– Dis papa ? Pourquoi que les bateaux vont sur l'eau ?

A quoi le père répondait :

– Parce que s'ils marchaient par terre, ils useraient les semelles de leurs souliers.

Et le fils demandait un peu plus tard, toujours aussi curieux :

– Pourquoi que l'ascenseur monte et descend ?

– Parce que s'il restait sur place, répondait le père, ce serait plus pratique d'emprunter l'escalier.

Il était logique, comme vous constatez.

Un jour, le fils fut en âge d'aller à l'école. La maîtresse lui fit dessiner une belle pomme. L'enfant demanda :

– Pourquoi que la pomme pousse sur un pommier ?

– Heu... dit l'institutrice... Parce que c'est le fruit de cet arbre...

– Non, dit l'enfant. C'est parce que si elle poussait sur un marronnier, elle aurait des piquants et on ne pourrait pas la manger.

– Ah. Bien, dit la maîtresse.

Et elle se demandait si cet enfant n'avait pas le cerveau fêlé. Elle en dit deux mots à la directrice qui donna une jolie image de chat à l'enfant. L'enfant demanda alors :

– Pourquoi que le chat ne hennit pas ?

– Mais… fit la directrice. Il ne peut pas ! C'est une image !

– Non, dit l'enfant. C'est parce que s'il hennissait, il aurait des sabots aux pattes et ne pourrait plus grimper aux gouttières.

– C'est vrai, admit la directrice. C'est vrai. Hum.

Elle se demandait si l'enfant n'était pas zinzin. Elle fit appeler la psychologue, une dame très bavarde, qui demanda :

– Est-ce que tu te plais à l'école ?

– Pourquoi qu'à l'école ce n'est pas comme à la maison ? répliqua l'enfant au lieu de lui répondre.

– Eh bien, dit la psychologue en regardant par-dessus ses lunettes, c'est parce qu'à l'école il y a beaucoup de petits enfants réunis, qui apprennent à lire, à écrire, à compter. Et c'est aussi parce que…

L'enfant lui coupa la parole (sans ciseaux):

– Non! dit-il. C'est parce que si c'était pareil à l'école qu'à la maison, on n'aurait pas besoin de mettre un pied devant l'autre pour y aller.

– Heu... fit la psychologue.

Elle se demandait si l'enfant n'était pas timbré.

Le soir même, les trois dames attendirent le père

de l'enfant. Il arriva, embrassa son fils. La directrice s'approcha, suivie de l'institutrice et de la psychologue.

– Monsieur, dit la directrice, votre fils pose des questions stupides auxquelles il répond lui-même par des stupidités. Savez-vous pourquoi il raisonne si mal ?

– Parce que, répondit le père, s'il résonnait comme un tambour, les gens taperaient dessus. Et moi je ne veux pas.

Puis il salua les trois dames et il s'en alla avec son fiston. L'enfant lui demandait en marchant :

– Dis papa ? Pourquoi que les chiens ont quatre pattes et nous seulement deux ?

– Parce qu'ils courent plus vite, répondait le père.

Ils se tenaient par la main. Ils riaient. Ils étaient simplets, mais contents comme ça d'être ensemble. Alors de quoi je me mêle ?

Question évidente, réponse absurde, mais logique !

Voici quelques exemples :

– Dis papa ? Pourquoi que les autos ont quatre roues ?
– Parce que si elles n'en avaient qu'une ce seraient des brouettes !

– Dis papa ? Pourquoi que le ballon il est rond ?
– Parce que s'il était carré ce serait un cube de glace.

– Dis papa ? Pourquoi que les hommes ne sont pas des insectes ?

– Parce que si c'étaient des insectes, on voudrait les épingler dans des boîtes, mais on n'en trouverait pas d'assez grandes.

Voici des questions : invente les réponses !

– Dis papa ? Pourquoi que les serpents n'ont pas d'ailes ?

– Dis papa ? Pourquoi que les vélos ont deux roues ?

– Dis papa ? Pourquoi que les gens ont dix doigts ?

– Dis papa ? Pourquoi que les bébés sont plus petits que leurs mères ?

(Tu peux aussi inventer les questions.)

POURQUOI QUE LE 30 FÉVRIER NE TOMBE PAS UN LUNDI ?

La sorcière qui avait perdu son balai

La sorcière poussa un juron :

– … de… ! Où est mon balai ?

Elle bouleversa le fouillis de son appartement dégoûtant, brassa les détritus immondes où grouillaient les rats et les asticots. Elle ne trouva pas son balai.

– … de… ! Comment me déplacerai-je ?

Elle se rendit à pied au bureau des objets trouvés. L'employé lisait une bande dessinée. Il grommela :

– Qu'avez-vous perdu ?

– *Mon premier est le contraire de haut ; mon second est le contraire de beau. J'ai perdu mon tout !*

– *Bas-laid ?* Vous avez perdu un balai ? Non. Pas vu. Au revoir. Vous me dérangez.

La sorcière était en colère. Elle devint multicolore et ses cheveux pouilleux se dressèrent sur sa tête. Alors, elle ouvrit trois fois son parapluie en l'air et se mit à piétiner en tournant sur elle-même, et elle s'écria :

– *Mon premier est un oiseau qui fait la roue ; mon*

second, c'est ce qu'on dit quand la pluie tombe; mon troi-
sième est fait par le savon. Transforme ce bonhomme en
mon tout!

L'employé devint un *Paon-Pleut-Mousse!* Un enfant
qui passait mangea le pamplemousse. La sorcière
riait. On entendait l'employé protester dans le ventre
de l'enfant. Maintenant, se réjouissait la sorcière, il
faudra opérer le gamin pour récupérer l'employé!

Elle héla un taxi. Le chauffeur la regarda monter
dans son automobile et fit la grimace parce que la
sorcière était affreusement sale:

– Dites donc, la petite dame! Vous ne sentez pas
la rose!

– Patience! gronda la sorcière.

Elle s'installa. Le taxi l'amena à la gare. Une fois
arrêté, le chauffeur se retourna vers sa passagère en
se pinçant le nez à cause de la puanteur:

– Vous me devez cinquante francs. (Comme il
avait le nez pincé, il disait: «Vous me devez cinquinte frincs.»)

– Des clous! riposta la sorcière.

Elle ouvrit son parapluie, piétina autour de l'auto:

– *Mon premier est un petit serpent très dangereux;*
mon second est la femelle du rat; mon troisième compte
soixante minutes; transforme cette voiture en mon tout!

Et voilà que l'auto rapetissait. Le chauffeur n'eut que le temps de s'extirper de l'*Aspic-Rate-Heure*! La sorcière riait! Riait!

Dans la gare, elle vit un employé de mauvaise humeur parce que son remplaçant n'était pas arrivé. L'employé grondait:

— A la SNCF, les trains sont à l'heure! Les employés devraient en faire autant!

— Pardon Monsieur, dit la sorcière.

— Je ne suis plus de service! répliqua l'employé en lui tournant le dos.

La sorcière se mit en colère. Parapluie! Piétinements! Et...

— *Mon premier est un instrument très grave; mon second est un adjectif numéral; transforme l'employé en mon tout!*

L'employé sentit sa tête s'enfoncer dans ses épaules, comme s'il se retournait à l'intérieur à la façon d'un gant. Il était devenu un *Basse-Un,* et ses bras étaient les poignées. Un autre employé arrivait, c'était certainement le remplaçant.

— Excusez-moi, lui dit la sorcière. Je voudrais voyager mais je n'ai plus de balai.

— Achetez un ticket.

— Je pourrai voyager où je voudrai avec?

– Oui. A condition qu'il y ait des rails et une gare. Où voulez-vous aller ?

– A Chartres.

– Mais vous y êtes déjà.

– Oui, mais je veux aller dans un autre quartier de la ville.

– Dans ce cas, prenez le bus… et un bain !

L'employé ricanait. Il haussa les épaules en voyant la sorcière ouvrir son parapluie et piétiner autour de lui. Il leva les yeux au ciel en l'entendant déclamer : « *Mon premier est une région de l'Allemagne ; mon second mange ; et transforme ce sagouin en mon tout !* »

Puis il frétilla sur le quai car il était devenu une *Sarre-Dîne*. Quelqu'un l'attrapa par la queue et le jeta dans le bassin avec un peu d'eau. Lui et le bassin faisaient bon ménage puisqu'ils étaient collègues de travail. Tout de même, on entendait vaguement le bassin protester que l'autre était arrivé en retard, en faisant glou-glou.

La sorcière quitta la gare et vit le bus à l'arrêt :

– Je vais monter là-dedans,… de… !

– Hep ! dit le chauffeur. Poinçonnez votre ticket, Madame !

– Quel ticket ?

Le chauffeur du bus se pinça les narines :

– Dites dinc ? Vous vous linvez tous les cinquinte ins ?

Tous les voyageurs se bouchaient le nez. La sorcière allait se fâcher lorsqu'elle vit quelqu'un dans l'avenue. Elle poussa un cri :

– Mon balai !

Elle bondit dehors, sauta sur le balayeur municipal et lui arracha son balai. Le balayeur protestait. Déjà, la sorcière enfourchait le balai et cherchait à le faire décoller. Il ne décolla pas : c'était un balai ordinaire. La sorcière avait fait erreur. Elle jeta le balai dans le caniveau et le piétina si rudement qu'il se rompit par le milieu. Le balayeur protestait. Les badauds l'encourageaient. Alors la sorcière hurla comme une perceuse électrique :

– *Mon premier est un poisson plat ; mon second est propre ; et vous allez tous sauter comme mon tout !*

Et tous les curieux sautèrent à quatre pattes dans l'avenue. Ils rétrécissaient en sautant, si bien qu'ils devinrent un troupeau de *Raie-Nettes* qui se réfugièrent dans les caniveaux pour échapper aux voitures.

« C'est bien fait ! » criait la sorcière.

Mais elle était soucieuse. Où donc était passé son balai ? Il aurait fallu demander de l'aide.

Alors elle prit son parapluie comme un téléphone pour appeler une de ses consœurs :

– Allô, vieille bique ? (C'était une formule de politesse entre sorcières.)

– Que puis-je faire pour vous, vieille bourrique ?

– J'ai perdu mon balai, vieille bique ! Je ne sais à qui le réclamer !

– Écoutez : *Mon premier est ce qu'on pousse quand on se fait mal ; mon second est l'espace réservé à un cheval dans une écurie ; mon tout est l'objet que vous devez consulter !*

– Oh ! Ma boule de *Cri-Stalle* ! Je n'y pensais pas ! Merci du conseil !

La sorcière courut jusque chez elle. Elle voulait interroger sa boule de cristal. Elle était pleine d'espoir en poussant la porte du taudis où elle demeurait. Mais la vue du désordre où rampaient rats, limaces, cloportes, couleuvres et salamandres, la découragea.

– Jamais je ne retrouverai ma boule ! gémit-elle.

Et elle se laissa tomber sur son lit.

Elle se releva aussitôt en jetant un cri de douleur : « Aïe ! »

Elle s'était assise sur quelque chose de dur, et s'était fait mal. En jurant, elle souleva le drap crasseux et que vit-elle ? Sa boule de cristal ? Pas du tout !

C'était... couché avec un foulard autour du cou.
le balai !

– Je suis enrhubé, dit le balai en se retournant.
Laissez-boi dorbir !

Cher balai ! La sorcière était si heureuse de le
retrouver qu'elle le borda bien. Elle mijota pour le
soigner une tisane à la bave de mouche et aux
excréments de chauve-souris, avec une pincée de
moisissure. Elle en but elle-même une bonne tasse.

– Cher balai ! disait-elle. Comme je suis contente
de te revoir !

Elle avait retrouvé le balai. Elle n'avait pas
retrouvé la boule de cristal. C'est une autre histoire,
on s'en fout.

Toute charade est une énigme! Pas facile de deviner un mot décomposé en parties qui forment chacune un mot!

L'art de la charade est ancien. En voici une écrite au XIXᵉ siècle par un galopin de quatorze ans… qui s'appelait Victor Hugo (mais qui n'avait pas encore écrit *Les Misérables*, bien entendu!)

J'achète mon second avec mon premier,
Pour le voir à la fin mangé par mon entier.
(Sou-Riz: Souris.)

La charade peut être facile ou très difficile. Voici une charade facile: la décomposition du mot respecte les syllabes:

Mon premier porte des bois.
Mon second fait la roue.
Mon tout est un reptile.
(Cerf-Paon: Serpent.)

Quelquefois, la décomposition du mot est à cheval sur deux syllabes:

Mon premier est une couleur.
Mon second grimpe aux arbres.
Mon troisième est un outil qui serre les planches sur l'établi.
Mon quatrième est un synonyme de «bagarre».
Mon tout fut un grand chef gaulois.
(Vert-Singe-Étau-Rixe: Vercingétorix.)

On peut aussi proposer des astuces dans les définitions pour troubler les chercheurs.

Mon premier est une rondelle de saucisson sur un boomerang.
Mon second est une rondelle de saucisson sur un boomerang.
Mon troisième est une rondelle de saucisson sur un boomerang.
Mon quatrième est une rondelle de saucisson sur un boomerang.
Mon cinquième est une rondelle de saucisson sur un boomerang.
Mon sixième est une rondelle de saucisson sur un boomerang.
Mon tout est une saison.

(C'est: le printemps! Parce que *les six rondelles sont de retour!*)

Les charades peuvent êtres rimées.

Mais les plus difficiles sont les charades à tiroirs. **En voici une** de Robert Boudet :

Mon premier est un soldat qui fuit le champ de bataille.
(C'est IL parce que : *île* déserte.)
Mon second est une lettre d'injures.
(C'est É parce que : *hé* ! va donc !)
Mon troisième aime se faire battre.
(C'est TÊTE parce que : *tête* à claques !)
Mon quatrième en vaut dix.
(C'est UNE parce que : *une* de perdue, dix de trouvées !)
Mon cinquième, c'est se geler sans en avoir l'air.
(C'est FOID parce que : FROID sans *R*.)
Mon tout est le Sésame des contes de fées :
IL É TÊTE UNE FOID… (Il était une fois…)

Bon courage !

La sorcière paresseuse

Il était une fois une sorcière paresseuse. Comme elle ne voulait pas se fatiguer, ses amies lui avaient offert une robote bonne à tout faire qui épluchait les ailes de hibou, lavait les boulets de charbon, écossait les tissus (les tissus écossais bien entendu), pilait les crottes de chien dans la farine, et jetait des sorts aux passants puisque sa maîtresse était trop paresseuse pour le faire (à repasser).

Or, un jour, la robote se cassa la figure dans les S-K-liers. Badaboum! L-É-T mal en point! Et même, pour être plus précis: L-É-T-P-T! Ses ressorts et ses roues dentées gisaient sur le paillasson, et ses petites lampes ne clignotaient plus!

– Comment ferai-je? pleurnichait la sorcière à la vue de sa robote démantibulée. C-T ma robote qui touillait la marmitée d'huile de crapaud! C-T-L qui faisait mes H-A et qui préparait mes philtres magiques avec du H-I de limace!

Le concierge, qui était bricoleur, répara la machine de son mieux. Mais en la remontant, il oublia une

roue dentée. «Bah!» se dit-il, «peu importe! La
sorcière n'y verra rien!» Et hop! Il jeta la roue dentée à la poubelle.

Puis il monta chez la sorcière.

– Toc-Toc-Toc!

– Qui est là?

– C'est moi, le concierge, qui vous rapporte votre
robote!

La joie de la sorcière était grande. Elle donna une
bise au concierge (et il attrapa le choléra). Elle mit la
robote au travail.

– Va me fabriquer de la potion à donner la colique aux gamins! ordonna-t-elle.

Mais la robote avait une case vide à cause de la roue dentée perdue. Et elle fabriqua du sirop. Quand la sorcière voulut donner la colique aux petits de la maternelle, elle leur donna du bon sirop, si bien que tous ceux qui étaient enrhumés furent guéris. La réputation de la sorcière fut ruinée!

– Elle est bonne! disait-on. (Malgré ses cheveux verts.)

Pauvre sorcière! Elle n'arrivait même plus à faire pleuvoir des grenouilles et des escargots sur la ville: elle faisait pleuvoir des dragées. Tout le monde l'adorait. La sorcière enrageait. Elle se forçait à sourire aux compliments qu'on lui faisait, parce qu'elle avait peur du ridicule.

A la fin de l'année, les petits de la maternelle lui offrirent des dessins pour la remercier. La sorcière ne les refusa pas. Et même, pour la première fois, elle sentit que cela lui faisait un drôle d'effet. L-É-T-M-U!

C'est ainsi qu'à cause d'une robote détraquée la sorcière de la rue Tabaga devint une fée. C'est bien triste.

L-É-T-M-U? Elle était émue!

Quelques renseignements sur la sorcière:

- L-N-É-A-3.
- L-A-1-R-É-B-T.
- L-A-D-H-É-D-É-P.

- L-A-É-T-L-V-A-7.
- L-A-R-I-T.
- L-A-K-C-D-K-7-A-R-V.

Un jeu très difficile consiste à raconter une histoire avec les vingt-six lettres de l'alphabet dans l'ordre. Depuis l'écrivain russe Pouchkine, de nombreux écrivains y sont arrivés. Voici le début d'une histoire : au restaurant, un serveur apporte une omelette à un abbé. Il dit :

- Abbé, c'est des œufs... (A-B-C-D-E...)

Fais des petites phrases (L-A-D-H-A-9); ou remplace dans un texte connu des syllabes par des lettres :
- Il É-T une fois le petit Pou-C...

Cet homme sort du K.
(Il aimerait bien se
coucher mais il n'a pas
d' Ø!)

* K barré ; O rayé.

Histoire d'une dame TROP polie

Il était une fois une dame distinguée qui ne disait JAMAIS de gros mots. Elle demeurait rue *Sot*dorcet à *Sot*piègne.

Un soir, un oiseau frappa à sa porte. Toc-Toc-Toc!

– Qui est là? demanda la dame distinguée.

– C'est moi! Je suis un cacatoès! dit l'oiseau. Il voulait en dire plus, mais la dame lui coupa la parole:

– Malpoli!

– Mais…

– On ne dit pas un *caca*toès! On dit un *fien*toès! Que désirez-vous?

– Heu… Voudriez-vous être ma maman, car personne ne veut s'occuper de moi?

– Malpoli!

– Hein?

– On ne dit pas s'oc*cu*per mais s'o*derrière*per! Il ne faut pas dire de vilains mots! Si vous voulez que je devienne votre maman, il faudra devenir très poli! Vous *sot*prenez?

– Hein ? Heu… Je veux bien, dit l'oiseau. Pouvez-vous me donner des graines ?

– Oui, entrez, dit la dame.

Elle donna des graines à l'oiseau. Il était *content* – oh ! pardon ! je veux dire : « Il était *sottent* ! »

Il disait :

– Veuillez m'ex*cus*er pour les gros mots que j'ai dits tout à l'heure…

Mais la dame fronça les sourcils, car il aurait dû dire : « Veuillez m'ex*derrière*ser. »

– Vous êtes vraiment mal élevé ! s'écria-t-elle. Je refuse d'être la mère d'un vilain oiseau qui…

L'oiseau l'interrompit en poussant un grand cri.

– Quoi ? dit la dame.

– Vous venez de dire un gros mot ! s'écria l'oiseau.

– Moi ?

– Oui, vous ! Vous avez dit…

– Je sais très bien ce que j'ai dit ! s'écria la dame rouge de colère. J'ai dit que je refusais d'être la mère d'un vilain…

– Oh ! cria l'oiseau. Vous venez de le répéter !

– Moi ? Mais qu'est-ce que j'ai dit ?

– Vous avez dit la *mère d'*un oiseau ! Vous auriez dû dire la *crotte* d'un !

– Oh ! dit la dame en rougissant de honte tout à coup. Je… Je ne l'ai pas fait exprès… Je m'ex*cus*e…

Et comme elle venait de dire un autre gros mot sans y penser, elle mit sa main sur sa bouche et ne dit plus rien. Elle donna des graines à l'oiseau, et elle accepta de devenir sa maman, et plus jamais elle ne lui reprocha de dire des gros mots. Et tous deux furent heureux comme ça.

Quelques renseignements sur la dame polie:

Elle a beaucoup voyagé. Elle a visité *Sot*postelle, *Sot*stantinople, l'île de *Derrière*ba, et elle a navigué sur la *fiente* de Chine. Elle est gourmande. Elle aime la *sot*fiture de *sotsot*bres. (Les *sotsot*bres sont des *derrièrederrièrezizi*tacées.)

Les parties en italique cachent les gros mots les plus connus de la langue française!
Si tu ne connais pas beaucoup de gros mots, demande de l'aide à tes parents, ils en savent plus que toi!

Beaucoup de grands écrivains ont été sensibles à la verdeur du langage populaire. Rabelais, par exemple, truffa ses ouvrages de gros mots au XVIe siècle («Qu'il est laid, le pleurard de merde!» «C'est bien chié chanté!» etc.)

Il est vrai aussi qu'à l'époque, les gens étaient généralement grossiers. Au XVIIe siècle, Louis XIII cracha dans le corsage d'une dame trop décolletée.

Rions!

Voici une très vieille devinette (probablement du XVIIIe siècle): Quel est le mot le plus impoli de la langue française?

(Réponse: «concupiscent».)

A la fin du XIXe siècle, Alphonse Allais proposait à ses lecteurs de conjuguer le verbe «allécher» à l'imparfait. Essaie donc!

Fais semblant de corriger des mots qui, en réalité, ne sont pas grossiers du tout. (Exemple: *sot*duite au lieu de *con*duite.)

Corrige des noms de personnes, de villes, de pays ou de poèmes, des énoncés de problèmes, etc...

Un compte de fées pas comme les autres

1 jour, la sorcière partit en voyage. Elle portait 2 valises. Elle allait à 3 (Troyes), au mariage de sa sœur. Elle était tirée à 4 épingles. Elle monta dans le train sur la voie 5. Il y avait 6 sièges dans le compartiment.

Ce train roulait 7 jours sur 7. Il remorquait 8 wagons. La sorcière s'assit et se tint bien droite pour ne pas froisser son manteau 9. En face d'elle, un curé lisait les 10 commandements. Son voisin lisait dans un journal sportif que le 11 de France avait vaincu le 11 d'Angleterre. Au bout de la rangée, un punk jouait de la guitare à 12 cordes. La sorcière avait très envie («13» envie) de le transformer en grenouille car elle n'aimait pas la musique. Un vieillard dormait dans un coin ; il était si vieux qu'il avait dû faire la guerre de 14.

Le sportif prêta une page de son journal à son vis-à-vis, et l'on pouvait lire que le 15 de France de rugby avait pris la déculottée en Nouvelle-Zélande.

Le train partit à midi 16. Il s'arrêta 17 minutes

plus tard en rase campagne au-dessus d'un pont. Le vieillard de la guerre 14-18 s'éveilla, demanda si l'on était arrivé. «Non, il reste 19 kilomètres à parcourir», répondit le sportif. Puis il offrit du 20 à boire à tout le monde. Il proposa même de faire une partie de 4, 21 à la sorcière, puisque le train ne repartait pas. Mais le curé avait regardé par la fenêtre, et soudain il cria : « 22 ! voilà les flics ! »

En réalité, il y avait 23 policiers qui venaient de surgir de sous le pont à un coup de sifflet. Ils étaient cachés là depuis 24 heures parce qu'on les avait avertis qu'un train allait être attaqué, sans leur dire lequel. Les voleurs furent vite arrêtés : leur chef n'avait pas 25 ans ! Il criait tellement de gros mots que c'était à se demander si les 26 lettres de l'alphabet lui suffiraient !

Le train repartit à 27. La sorcière pensait qu'on arrivait, car elle avait repéré sur la route une voiture immatriculée 28, et elle croyait que Troyes se trouvait en Eure-et-Loir !

Enfin le train s'arrêta ; 29 voyageurs descendirent. La sorcière descendit aussi ; elle rit en entendant un homme qui parlait mal le français demander où se trouvait la salle d'atTRENTE.

Le fiancé de sa sœur s'était mis sur son 31 pour accueillir la sorcière. Il souriait de ses 32 dents. Il était médecin et faisait dire aux gens 33-33 quand il les auscultait. Il avait 34 ans.

La sorcière et le médecin montèrent en voiture

et traversèrent la ville à 35 km à l'heure. Le médecin ne savait pas conduire et il percuta un arrêt de bus : la sorcière en vit 36 chandelles ! Du coup, sa température, qui était normalement de 37 degrés comme tout le monde, monta de plusieurs degrés. La sorcière tapait des pieds sur le plancher de l'automobile et comme elle chaussait du 38, elle faisait beaucoup de bruit.

Mais on arrivait devant une maison et un escalier qui comptait 39 marches en hommage à un film d'Hitchcock intitulé « Les 39 marches ».

« Une chance », pensa la sorcière, « qu'il n'ait pas été bâti en hommage à Ali-Baba, sinon il en aurait totalisé 40 ! »

Comme sa sœur adorait le cinéma, la sorcière lui avait apporté la cassette d'un film russe : « Le 41e parallèle ».

En montant l'escalier, la sorcière écrasa un mille-pattes (qui en réalité n'a que 42 pattes, comme chacun sait.)

La sorcière entra dans la maison, on lui offrit à boire un alcool espagnol qui s'appelle « *Quarenta y tres* ». Le médecin ôta ses souliers et enfila ses pantoufles : il chaussait du 44. Il se laissa tomber dans un fauteuil et but un Pernod 45.

– Tu sais, dit la sœur à la sorcière, nous avons invité 46 personnes à notre mariage.

– Et nous avons payé les repas 47 F par personne sans compter les vins, ajouta le médecin fiancé.

La sorcière avait de la peine à penser que, dans même pas 48 heures, sa chère sœur serait mariée à cet homme-là. Elle espérait qu'ils ne resteraient pas ensemble, car il y avait 49% de divorces dans la région depuis le mois de janvier.

– Quelle idée de venir vivre à Troyes! grommelait-elle, car sa sœur était de *Saint-Quentin* (50-in).

Un nombre nouveau par phrase! Les nombres doivent se suivre dans l'ordre!

On peut aussi accumuler les nombres dans une même phrase:

«Un Hun à cheval piquait des deux pour aller à Troyes quatre à quatre.»

Ou écrire, comme l'humoriste Cami, cette «Marche des Huns»:

Lorsque les Huns s'en vont combattre,
Marchent-ils par 2 ou par 4?
Non, ils marchent par rangs de un,
Par rangs de un marchent les Huns!
Chacun des Huns
Derrière un Hun
Marche toujours en file,
Et, un par un,
Chacun des Huns
Derrière un Hun défile! Etc.

Énumère des objets à la manière de Jacques Prévert :

«Une pierre
Deux maisons
Trois ruines
Quatre fossoyeurs»...

Tu peux aussi énumérer des actions en les séparant en phrases :

Ce matin, le chasseur a tué 1 caille dans le champ. Alors qu'il franchissait le buisson, 2 perdrix s'envolèrent. A peine les avait-il tirées que 3 lapins détalèrent devant lui. Et ce n'était pas tout, car 4 faisans jaillirent de la lisière du bois à cet instant. Etc.

Pour t'aider !
Cherche des titres de livres, de films, de chansons, de morceaux de musique, de bandes dessinées, qui comportent un adjectif numéral. Cherche des expressions populaires comme :

«Les trois font la paire», «unis comme les cinq doigts de la main», «treize à la douzaine», «jamais deux sans trois», «les quatre fers en l'air», etc.

LA BANDE DES-6-NEZ !

Histoire des bonnes sorcières méchantes

Un jour, c'était la nuit, une vieille sorcière toute jeune qui demeurait rue Bicond préparait une savoureuse mixture dégoûtante dans une grosse marmite minuscule. Elle vivait dans une maison basse de cinquante étages, au milieu d'une forêt sans arbres. Une fine fumée grasse s'échappait de la cheminée car le poêle était éteint.

Au loin, à proximité, l'horloge de l'église du village sonna les six coups de dix heures car il était minuit. Au même instant, un terrifiant fantôme débonnaire traversa le mince mur épais de la maison. Il portait une lourde chaîne légère.

– Bonjour bonsoir, dit-il car il était muet.

– Tu vas porter cette amère potion sucrée à ma chère ennemie la sorcière de la rue Ade. Tu la verseras sans rien lui dire dans son verre à dent, pour qu'elle attrape une agréable colique douloureuse. Je t'accompagne et vas-y sans moi.

Le fantôme partit en courant lentement à toute vitesse. En chemin, il rencontra un autre fantôme

qui le reconnut tout de suite en le voyant puisqu'il
était aveugle.

– Où vas-tu? demanda le premier au second.

– Je vais verser une potion dans le verre de la
sorcière de la rue Bicond, de la part de la douce
sorcière cruelle de la rue Ade. Et toi?

– Moi je vais verser une potion dans le verre de
la sorcière de la rue Ade, de la part de la belle
affreuse sorcière de la rue Bicond.

En somme, ils avaient à faire le même travail. Ils
étaient embarrassés. Ils s'assirent debout sur un large

banc étroit et sans siège, pour mieux réfléchir. Au loin, on voyait se coucher le soleil car il allait bientôt faire jour. Les fantômes avaient perdu beaucoup de temps. Ils étaient soucieux :

– Je vais être en retard pour rentrer chez mon père, le petit géant du Mont Teladessu, dit le premier fantôme.

– Et moi pour rentrer chez ma mère, la grande naine, dit le deuxième.

Ils réfléchissaient, ils réfléchissaient. Soudain, le premier eut une excellente mauvaise idée :

– Nous allons gagner du temps sans en perdre ! Tu retourneras auprès de TA sorcière, tandis que je retournerai auprès de LA MIENNE. Nous verserons dans les deux verres les potions qu'elles ont préparées !

– Ça nous évitera de faire un si long chemin court inutile !

Les fantômes se serrèrent la main, et se séparèrent ; le deuxième avait offert au premier des bonbons qu'il avait achetés chez le poissonnier.

Quand ils arrivèrent chez leurs deux patronnes, elles dormaient d'un doux sommeil très agité. A peine avaient-ils versé les potions dans les verres que le coq poussa son triste cri joyeux dans la ferme voisine qui se trouvait à l'autre bout de la terre :

– Meuh ! Meuh ! Meuh !

Les fantômes disparurent alors dans les blanches pierres noires des murailles pendant que les sorcières ouvraient grand leurs petits yeux pervers. Elles allèrent dans les salles de bains, et burent les potions sans se méfier. Et elles attrapèrent la colique toutes les deux.

Les fantômes dormaient comme des bienheureux devant la télévision éteinte en faisant de plaisants cauchemars épouvantables.

Les informations du texte sont associées à des informations contraires !
Ce procédé littéraire peut être très sérieux.
Par exemple :

Corneille : « *Cette obscure clarté qui tombe des étoiles* ».
Racine : « *De leurs plus chers parents saintement homicides* ».
La Fontaine *(à propos de la tortue)* : « *Elle se hâte avec lenteur* ».

Mais on peut aussi s'amuser avec, et ce jeu ne date pas d'hier. Voici une vieille comptine d'écoliers :

« *J'ai rencontré des nègres blancs*
Qui déterraient des morts vivants. »

Commence par chercher des noms opposés, des adjectifs opposés, des adverbes opposés. Ensuite fais des phrases – comme celles qui suivent, et qui sont l'œuvre d'enfants de ton âge :

« Une femme chauve avait de jolies nattes blondes. »
« Un garçon, qui s'appelait Sophie, lisait un livre fermé. »
« Un homme achetait du pain à la charcuterie chez le teinturier. »

On peut jouer aussi sur des renseignements simplement faux :
«J'achète des raquettes de tennis à la pharmacie.»

Pour t'aider.
Quelques noms opposés :

homme-femme ; garçon-fille ; géant-nain ; fée-sorcière ; oiseau-poisson ; lune-soleil ; maisonnette-immeuble ; campagne-ville ; bateau-avion…

Quelques adjectifs opposés :

lourd-léger ; grand-petit ; vieux-jeune ; courageux-poltron ; fort-faible ; doux-dur ; prudent-téméraire ; noir-blanc ; gros-maigre ; épais-mince ; haut-bas ; sucré-salé…

Quelques adverbes opposés :

gentiment-méchamment ; lourdement-légèrement ; courageuse-ment-peureusement ; prudemment-témérairement ; orgueilleuse-ment-humblement ; silencieusement-bruyamment…

Hardi petit ! En avant marche !

Il était une fois un ogre géant qui veillait jalousement sur ses trésors. Quand on lui demandait des comptes, il répondait innocemment qu'il ne possédait pas un sou. Et si l'on insistait, il se jetait sur vous et vous dévorait voracement.

Or il arriva qu'un petit soldat rentrait tranquillement au pays. Il s'était vaillamment battu à la guerre. Mais il se plaignait amèrement. « Je me suis battu courageusement au service de l'ogre », disait-il « et je n'ai gagné que ces douze piécettes à raconter mes exploits dans les auberges ! »

Néanmoins, c'est joyeusement qu'il se rendit au château de l'ogre terrifiant en chantant sa chanson de soldat :

Hardi petit ! En avant marche !

Il frappa gaillardement à la porte de la salle du trône et entra. L'ogre énorme était encore à table car il venait d'avaler gloutonnement un bœuf, deux moutons et vingt-cinq poulets. Il avait bu trois tonneaux de bière mousseuse et il rota salement en apercevant le petit soldat au centre de la salle. Il cria méchamment d'une voix de contrebasse :

– Que viens-tu faire ici ?

Mais le petit soldat avait eu le temps de laisser astucieusement tomber une piécette sur le grand tapis de la salle du trône. Il fit semblant de l'y découvrir et dit naïvement :

– Oh ! Sire ogre ! Vous avez perdu une piécette !

L'ogre, à ces mots, se redressa si brusquement qu'il renversa son verre et son assiette. Il se précipita avidement sur la piécette. Ses yeux brillaient extraordinairement de convoitise.

– Cette piécette m'appartient ! cria-t-il vivement.

– J'en vois une autre là-bas ! dit le petit soldat malignement. (C'était lui qui venait de l'y jeter prestement.)

L'ogre pivota lourdement car il avait trop mangé et trop bu. Il se déplaçait difficilement. Il courut pesamment ramasser la seconde piécette du soldat.

Hardi petit ! En avant marche !

Mais à peine l'ogre s'était-il relevé laborieusement que le petit soldat lui désigna une troisième piécette, puis une quatrième, une cinquième, etc. A la fin, l'ogre était tellement épuisé qu'il ne se relevait même plus pour récupérer les piécettes. Il trottait à quatre pattes en soufflant abominablement. Il comptait ses piécettes fébrilement, il ne se méfiait plus du petit soldat.

Hardi petit! En avant marche!

Alors le petit soldat lui montra sa dernière piécette qu'il avait intelligemment cachée sous la table. Quand l'ogre se glissa bêtement sous le meuble, le petit soldat bondit sur la chaise. Et d'un seul coup

de sa vaillante hache, il trancha parfaitement la grosse tête de l'ogre gigantesque.

Hardi petit! En avant marche!

Le petit soldat prit avantageusement la place de l'ogre, tout le monde était heureux d'être débarrassé d'un monstre avare.

Le petit soldat devint roi, et comme il aimait tendrement la fille de son capitaine, il la demanda en mariage. Et tous deux régnèrent sagement sur ce petit pays sympathique...

Trop c'est trop! Il y a un adverbe dans chaque phrase!

Attention! Ceci est un jeu!
Mais il ne faut pas abuser des adverbes!

Au XVIIᵉ siècle, les Précieuses aspiraient à vivre dans une société plus courtoise, plus nuancée que celle de la Cour. Elles parlaient volontiers entre elles en truffant leurs phrases d'adverbes. Deux grands écrivains se moquèrent de cette mode: Boileau et Molière (le second dans sa pièce «Les femmes savantes»):

J'aime superbement et magnifiquement.
Ces deux adverbes joints font admirablement.

Rions!
(Il suffit pour cela de rapprocher l'adverbe d'un autre mot.)
– Et alors? Vous n'avez pas vu le feu ROUGE! dit l'agent VERTEMENT.

Un petit POIS vivait CHICHEMENT dans une cosse.

Un GÉANT vivait PETITEMENT; pourtant il avait GRANDEMENT de quoi vivre!

– FEU! cria FROIDEMENT le commandant du peloton d'exécution.

Ce vilain BASSET mordait BASSEMENT les passants.

Ce TAUREAU est VACHEMENT méchant!

Le CUL-DE-JATTE parlait COURAMMENT l'anglais.

Le prêtre mangeait RELIGIEUSEMENT une RELIGIEUSE.

– J'aime qu'on me parle FRANCHEMENT, dit CLOVIS.

La MER ondulait VAGUEMENT.

Son adversaire le CRAMPONNAIT LÂCHEMENT...

JE N'AIME PAS QU'ON ME DÉRANGE QUAND JE SUIS MOUILLÉ...

... DIT SÈCHEMENT LE BAIGNEUR.

Commence par trouver beaucoup d'adverbes!

Ajoute un adverbe à des phrases banales:
- Range ta chambre! dit GAIEMENT la mère du clown.
- Range ta chambre! dit SOLENNELLEMENT la mère du roi.
- Range ta chambre! dit LUGUBREMENT la mère du fantôme.

– Mouche ton nez, fantôme, pour dire MYSTÉRIEUSEMENT bonjour à la dame!

– Mouche ton nez, acrobate, pour dire LESTEMENT bonjour à la dame!

– Mouche ton nez, Jean Valjean, pour dire MISÉRABLEMENT bonjour à la dame!

Si tu veux jouer à rapprocher des adverbes d'autres mots, cherche d'abord les adverbes:

– C'est vrai que je suis COUPABLE, dit INNOCEMMENT l'accusé au tribunal.

Le roi qui voulait faire des économies

Un matin, le roi se leva du pied gauche et fut de mauvaise humeur jusqu'au soir. Il convoqua ses ministres. Il marchait de long en large devant eux dans la salle du trône.

– C'est inadmissible! criait-il. Mes sujets dépensent trop d'argent! Il faut faire des économies! Et je veux que vous donniez l'exemple!

Les ministres alignés n'osaient pas se défendre. Le roi leur disait:

– (Au Ministre de la Table): Il faut manger pour vivre et non pas vivre pour manger!

– (Au Ministre des Vêtements): Il faut se changer pour vivre et non pas vivre pour se changer!

– (Au Ministre des Collections Royales): Il faut ranger pour vivre et non pas vivre pour ranger!

Et même, il cria tout à coup à la nourrice de ses enfants qui venait d'entrer par inadvertance:

– Il faut langer pour vivre et non pas vivre pour langer!

Il était furibond. A la fin, les ministres promirent de faire des économies:

– Moi, dit le Ministre de la Table, je mangerai mon caviar avec du vin de Bordeaux au lieu de vin de Bourgogne.

– Moi, dit le Ministre des Carrosses, je ferai tirer mon carrosse par sept chevaux gris au lieu de sept chevaux blancs.

– Moi, dit le Ministre des Fanfreluches, je ferai mettre sur mes habits de la dentelle du Puy au lieu de la dentelle d'Alençon.

– Mais c'est la même chose ! s'écria le roi. Sortez ! Vous êtes des incapables !

Les ministres se retirèrent. Le roi tapait des pieds sur le parquet de la salle du trône. Il vit que le Ministre des Meubles était encore là.

– Qu'est-ce que vous voulez ?

– Sire, dit le ministre, j'ai une idée pour diminuer les dépenses de vos sujets de moitié.

– De moitié ? Comment ferez-vous ?

– Comme Votre Majesté l'a remarqué, les meubles coûtent cher.

– C'est vrai ! Il faut se meubler pour vivre et non pas vivre pour se meubler !

– Et les meubles ont toujours quatre pieds : tables, chaises, fauteuils, armoires, etc. Toujours quatre pieds.

– C'est bien vrai ! dit le roi.

– Alors, poursuivit le Ministre des Meubles, pour que les meubles coûtent moitié moins cher, il suffira de les faire à deux pieds au lieu de quatre.

– Formidable !

Le roi se jeta sur le ministre et lui fit une bise sur chaque joue. Bientôt, dans le pays, les chaises à deux pieds remplacèrent les chaises à quatre pieds. Les tables à deux pieds remplacèrent les tables à quatre. Les lits, armoires, fauteuils, coffres, etc., à deux pieds remplacèrent les lits, armoires, fauteuils, coffres, etc., à quatre pieds. On faisait des économies. Mais les gens bougonnaient. Les lits à deux pieds étaient obliques : on avait la tête trop haute ou trop basse. Les armoires penchaient : tout ce qu'on déposait sur les étagères glissait en bas de pente. Les tables ne supportaient plus rien : dès qu'on les lâchait, elles s'effondraient ; il y eut 943 768 verres brisés dès le premier soir. Et ce n'était pas tout ! Les assiettes à soupe se renversaient sur les genoux ! La purée tombait dans les souliers ! Et ceux qui tentaient de s'asseoir sur les chaises faisaient des galipettes fantastiques !

Les sujets du roi étaient mécontents, mais le roi leur disait :

– Silence! Il faut grommeler pour vivre et non pas vivre pour grommeler!

Un soir, ils se réunirent en cachette. Ils protestaient:

– Le roi exagère! Nous n'arrêtons pas de tomber ou de recevoir la bouillie sur les chevilles! Il faut chasser le roi!

Or, dans cette assemblée en colère, il y avait une petite fille très astucieuse qui suçait toujours son pouce. Elle parlait bizarrement à cause de son pouce dans sa bouche:

– Au lieu de chacher le roi, che cherait plus amujant de le faire achoir chur une chaije à deux pieds! (Au lieu de chasser le roi, ce serait plus amusant de le faire asseoir sur une chaise à deux pieds!)

Du coup, tout le monde se tut, car c'était une idée pleine d'astuce.

– Qu'est-ce que tu veux dire? demandèrent les gens.

– Offrez un trône au roi, dit la fillette. Cha lui fera plaijir.

– Il en a déjà un.

– Le chien a quatre pieds, dit la fille au doigt dans la bouche. Offrez-lui-en un à deux pieds.

– Le chien? Quel chien?

Les gens ne comprenaient pas. En vérité, la fillette **avait** voulu dire «le sien». Mais comme elle suçait son pouce, elle avait dit «le chien». Quand tout le monde eut compris, il se fit un grand silence dans l'assistance. Mais oui! Un trône! Tout le monde

applaudit, et l'on alla voir le menuisier. On lui commanda un trône magnifique orné d'angelots dorés et de feuilles d'acanthe. Puis on demanda audience au roi.

Justement, il s'était levé du pied droit et il était content de son sort. Quand le chambellan l'informa que ses sujets désiraient lui offrir un trône, il devint tout rose de bonheur !

– Chic alors ! Jetez mon vieux trône au grenier !

On fit selon ses ordres. A l'heure dite, les sujets apportèrent le cadeau. Le roi était si joyeux qu'il voulut défaire lui-même son paquet. Il s'extasia à la vue du trône :

– Magnifique ! Magnifique !

Il voulut l'essayer tout de suite. Il disait, en s'asseyant dessus :

– Il faut s'asseoir pour vivre et non pas vivre pour s'asseoir !

Patatras ! Ceux qui voulaient renverser le roi furent servis ! Quelle culbute ! Tout le monde riait – sauf le roi. Mais il n'osait pas se mettre en colère devant tout le monde et grognait dans sa barbe : « Il faut plaisanter pour vivre et non pas vivre pour plaisanter ! »

Il fit redescendre son vieux trône à quatre pieds

du grenier, et convoqua le Ministre des Meubles. Il déclara :

– Il faut faire des économies pour vivre et non pas vivre pour faire des économies.

Puis il ordonna de brûler TOUS les meubles à deux pieds du royaume – ou d'en faire cadeau à des acrobates.

Et c'est ainsi qu'il n'y eut plus jamais de chaises, fauteuils, tables, armoires, coffres à deux pieds dans le pays. Il n'y eut plus d'économies non plus. Mais comme disait la petite fille astucieuse en mettant son doigt dans sa bouche :

– Ch'est quand même plus intéréchant de manger des chauchiches dans une achiette que de les ramacher chur le tapis !

Quelle écriture bizarre ! Elle croise et compare en même temps ! Exemple : Il faut manger pour vivre et non pas vivre pour manger.

Cette figure de style est si ancienne qu'on la trouve souvent dans… la Bible ! (*Mieux vaut le travailleur qui a abondance de tout que le vantard qui manque de pain, Mieux vaut l'homme qui cache sa sottise que celui qui cache sa sagesse.*)

Les proverbes populaires ont beaucoup usé du chiasme. (*Il vaut mieux entendre ça qu'être sourd !*) La Fontaine, au XVIIe siècle, s'en est bien servi lui aussi. (*Mieux vaut tard que jamais, Un tiens vaut, ce dit-on, mieux que deux tu l'auras.*) Mais l'auteur français qui en fit la plus grande consommation est Victor Hugo au XIXe siècle

(Les morts ont raison et les vivants n'ont pas tort, Un dieu tout au plus était digne d'elle, ou un monstre, Un roi chantait en bas, en haut mourait un dieu, Le loup ne mordait jamais, l'homme quelquefois, L'homme ne peut rien sur sa beauté, mais il peut tout sur sa laideur. Etc.)

Le chiasme le plus célèbre, et qui fit le tour de la Terre, a été prononcé par une femme républicaine pendant la guerre civile d'Espagne en 1936. Dans un discours, la «Pasionaria» (c'était son surnom: passionnée) s'écria:

– *Mieux vaut mourir debout que vivre à genoux!*

Prends un modèle: *Il faut manger pour vivre et non pas vivre pour manger.* Change le verbe, et attribue le nouveau chiasme à un personnage en rapport avec ce nouveau verbe:

Il faut VENGER pour vivre et non pas vivre pour VENGER! (Zorro.)

Il faut DORMIR pour vivre et non pas vivre pour DORMIR! (La Belle au Bois Dormant.)

A toi!

La mère-grand du Petit Chaperon Rouge

Il était une fois une petite fille folle et sa mère-grand plus folle encore. On l'appelait le Petit Chaperon Rouge.

Un jour sa mère ayant cuit car elle était malade, le Petit Chaperon Rouge partit aussitôt pour aller chez sa mère-grand, qui demeurait dans un autre village. En passant dans un bois, elle rencontra compère le loup, qui lui demanda où elle allait.

– Je vais voir ma mère-grand et lui porter un petit beurre.

– Demeure-t-elle bien loin? lui dit le loup.

– Oh oui, dit le Petit Chaperon Rouge, c'est par-delà le moulin que vous voyez tout là-bas, à la première maison du village.

– Hé bien, dit le loup, je veux l'aller voir aussi; je m'y en vais par ce chemin ici, et toi par ce chemin le plus court.

Et la petite fille s'en alla, s'amusant à courir, et elle ne fut pas longtemps à arriver à la maison de la mère-grand; toc, toc.

– Qui est là?

– C'est votre fille le Petit Chaperon Rouge, qui vous apporte un petit beurre.

La mère-grand lui cria:

– Tire la chevillette, la bobinette cherra.

La porte s'ouvrit. La bonne femme dévora en moins de rien le Petit Chaperon Rouge. Quelque temps après: toc, toc.

– Qui est là?

– Le loup.

Mère-grand lui cria en adoucissant un peu sa voix:

– Tire la chevillette, la bobinette cherra.

La porte s'ouvrit. Le loup, voyant dans le lit, sous la couverture, la mère-grand, lui dit:

– Mère-grand, que vous avez de grands bras!

– C'est pour mieux t'embrasser.

– Mère-grand, que vous avez de grandes jambes!

– C'est pour mieux courir!

– Mère-grand, que vous avez de grandes oreilles!

– C'est pour mieux écouter.

– Mère-grand, que vous avez de grands yeux!

– C'est pour mieux voir.

– Mère-grand, que vous avez de grandes dents!

– C'est pour te manger, méchant loup!»

Pauvre Charles Perrault! Il n'a pas écrit ce conte, et pourtant...

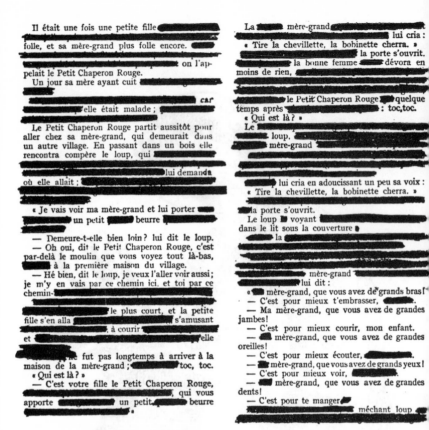

Ce jeu s'appelle le caviardage. On l'appelle aussi la censure, et alors, ce n'est pas toujours un jeu.

Dans de nombreux pays, la censure est pratiquée par la police ou l'armée contre les écrivains, les journalistes, les prisonniers politiques. On lit leur courrier, et l'on y noircit ce qu'on ne veut pas qui soit raconté. Tu as bien de la chance de vivre en France !

Mais tout de même : en France aussi, de nombreux écrivains ont eu des problèmes avec la censure. On brûla leurs livres. Certains furent emprisonnés, condamnés au bûcher. Demande à tes parents ou à tes professeurs de te renseigner.

Revenons au jeu du caviardage. Des jeunes gens y jouent tous les jours dans le métro en grattant les inscriptions écrites sur les portières. De «*Pour votre sécurité, n'ouvrez pas cette porte*», ils font: «*Pour votre sécurité... ouvrez... cette porte*». Parfois encore, ils grattent des lettres ou des morceaux de lettre; regarde attentivement les vitres des wagons. *Ne gratte pas les inscriptions du métro!*

Rions!

Les gens libres détestent la censure. Ils la ridiculisent. L'humoriste Ylipe s'amusa à citer des phrases de grands écrivains en remplaçant un mot banal par des points de suspension. A lire les phrases censurées, on a l'impression que l'écrivain disait des gros mots! Molière: «*Il vaut mieux encore être... qu'être mort.*» A. de Musset: «*Rien ne nous rend si... qu'une grande...!*» Marivaux: «*Chez certaines gens, un beau..., c'est presque un beau visage.*»

Supprime un mot d'une phrase d'un auteur: «*Ah! qu'elle était... la petite chèvre de Monsieur Seguin!*»

Essaie de caviarder un texte pour en faire un autre. (Prends la précaution de photocopier le texte sur lequel tu veux t'amuser!)

Détournement de bande dessinée

Dessins de Jicka   *Fable de La Fontaine*

Les Pieds Nickelés

Dessins de Jicka   *Poème de Jean Tardieu*

Le détournement de bande dessinée est plus facile à réaliser qu'un détournement d'avion! Il suffit de remplacer le texte des bulles d'une bande par un autre texte!

C'est le peintre Max Ernst qui découvrit au début du XXe siècle le principe des collages à partir d'images déjà faites.

Et c'est un autre peintre, Maurice Rapin, qui eut l'idée il y a une quarantaine d'années de détourner une bande dessinée. Il faisait dire un texte littéraire sur le poète Mallarmé aux héros de Robin des bois. Voici une des images:

La publicité opère tous les jours des détournements d'images. Il n'y a pas longtemps, une marque de produits laitiers se servait d'un beau tableau du peintre Vermeer!

Dans son «Dictionnaire superflu», P. Desproges s'amuse à reproduire cinquante fois le même tableau, mais il change de titre à chaque fois. Voici, dans le même esprit, trois images de bandes dessinées, sous lesquelles nous proposons un commentaire:

Jeune sot en train d'essayer de caler la roue d'un camion avec un bébé.

Paysan faisant la bise à un bébé fantôme sous le regard attendri de la mère du bébé.

Tintin et Milou regardent la Castafiore changée en champignon par une sorcière.

Découpe des images, trouve-leur une légende.
Change la légende des images publicitaires.
Photocopie une page de bande dessinée, et compose de nouvelles bulles.

Drôle de lettre !

Cher Tonton,

Hier, je suis allé en cachette chez la sorcière de la rue Béole. Je voulais profiter de son absence pour visiter sa ménagerie. Tu sais, elle a inventé des animaux fantastiques. Dans des cages, j'ai vu un GRIZZLIBELLULE, qui est un ours qui se pose sur les nénuphars, et un ANACONDAGOBERT, qui est un serpent qui a mis sa culotte à l'envers.

Dans un couloir, j'ai croisé un ZÈBREDOUILLE (c'est un zèbre qui n'a rien trouvé à manger), et un TAPIR-ROULANT qui se déplaçait sur ses patins.

Un fennec sur son trente-et-un, le FENNECPLU-SULTRA, était dans une chambre à l'étage. Il dormait à côté d'un PÉLIKANGOUROU, qui est un pélican sauteur. Le LÉOPARAPLUIE ressemblait à une grosse grenouille de la météo – avec des taches. Et l'HÉLICO-POTAME (c'est un hippopotame avec un rotor) pataugeait dans la baignoire de la salle de bains.

Mais j'ai entendu tout à coup la porte d'entrée
s'ouvrir au rez-de-chaussée ! C'était la sorcière qui
revenait. Alors je me suis caché dans le grenier. Il y
avait un HYDROMADAIRE (c'est un hydravion qui se

pose sur le sable), et un HIRONDELTAPLANE, qui vole bas quand il va pleuvoir. Un CLOPORTE-AVION trottait le long des plinthes.

La sorcière grimpait l'escalier. J'avais peur! Peur!

J'ai voulu m'enfuir en prenant l'ÉTOURNEAUTOBUS (c'est un oiseau qui prend des passagers), mais hélas la sorcière m'a repéré! Elle m'a capturé! Elle s'est mise à piétiner autour de moi en récitant des formules bizarres!

Elle m'a changé en ÉCURIEUX!

Peux-tu m'envoyer des noisettes?

Je t'embrasse, Jacquot.

D'autres animaux de la sorcière:

Le MICROCODILE: c'est un micro qui mord les journalistes trop bavards.

L'OTORHINOCÉROS: c'est un rhinocéros qui soigne les otites.

A ton avis? Qu'est-ce qu'un ÉCURIEUX?

La sorcière collectionne aussi les grands animaux de la préhistoire:

Le PTÉRODACTYLO: c'est un reptile volant qui tape à la machine à écrire.

Le TIRAJOSAURE: c'est un reptile qui choisit ses proies à pile ou face. (Il ressemble au LOTERICÉRATOPS.)

Le HILARANSAURE: c'est un reptile qui aime rigoler.

Drôles de mots! OKAPI et PISTOLET deviennent OKAPISTOLET.
(Un OKAPISTOLET, c'est un pistolet avec des rayures ou un okapi qui crache des balles.)

C'est l'auteur d'«Alice au Pays des Merveilles» qui est l'inventeur du mot-valise. En France, de nombreux auteurs ont produit des mots-valises. En voici un très joli du peintre Marcel Duchamp: «L'ENFANT-PHARE».

En voici composés par des enfants:

MÉDICAMEMBERT: remède normand.

BOULEVARICELLE: boulevard avec des boutons.

MÉDICAMENSONGE: remède de charlatan.

TIGRELOT: tigre à sonnette.

SERPANDA: serpent à fourrure.

RESPYRÉNÉES: bol d'air des montagnes.

MAMANCHON: maman auprès de qui on peut se chauffer...

HIPPOPOTAM-TAM: LE MUSICHIEN TAPE DESSUS!

C'est un comble !

Les sorcières s'étaient réunies autour d'une bonne table au restaurant Outang. Elles avaient dégusté du braisé de rat d'égout à la bave de limace, du sauté de cul de cafard aux glands flambés, et une savoureuse friture d'yeux de chats à la fiente de pigeon.

Maintenant, elles se racontaient leurs misères : on ne les respectait plus comme avant !

– C'est un comble ! disait la sorcière de la rue Dépreuve. Le gamin de la poissonnière m'a attaché une sardine fraîche dans le dos, et il m'a demandé ensuite de lui prêter ma canne à pêche !

– Oh ! s'écriaient les autres sorcières indignées. C'est un comble !

– Et moi ! s'exclamait la sorcière de la rue Ban. Quelqu'un est venu faire son gros besoin devant ma porte, et il a sonné pour me réclamer du papier !

– Oh ! Oh ! C'est un comble !

– Moi, siffla la sorcière de la rue Dafère, on m'a volé ma boule de cristal !

– Oh !

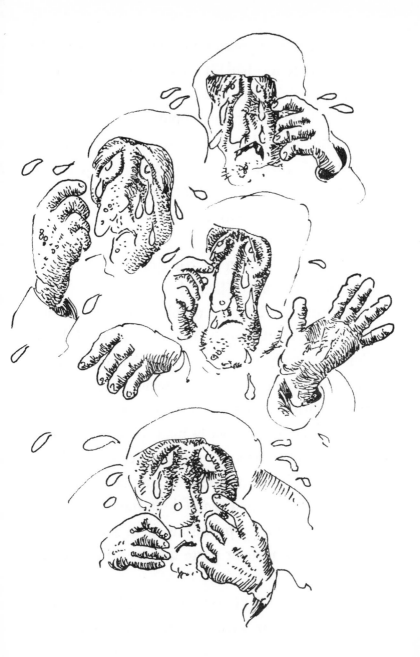

– C'était un supporter qui voulait regarder dedans un match de football ! Il est venu après me dire des injures parce que la France avait perdu le match !

– Oh ! Oh ! C'est un comble !

– Oui ! hurla la sorcière de la rue Éverlor. Un comble ! Figurez-vous que l'autre jour, je me suis fait opérer ! On m'a endormie ! Le chirurgien a oublié sa montre dans mon estomac et…

– Oh ! Oh ! Oh !

– Attendez ! Ce n'est pas fini ! Il m'a réveillée pour me demander l'heure !

– Oh ! Oh ! C'est un comble ! C'est un comble !

Les sorcières criaient toutes à la fois. Elles sifflaient comme des sirènes et grondaient comme des marteaux-piqueurs. Leur doyenne, qui avait sept cent quatre-vingt-seize ans et beaucoup de mal à se tenir debout, leva la main pour demander la parole. Tout le monde se tut pour l'écouter, d'autant qu'elle parlait bizarrement à cause de son dentier :

– Le boucher m'a fendu de la fiande pourrie, et enfuite, comme je proteftais, il m'a demandé de payer un fupplément parfe que les afticots étaient frais !

– Oh ! Oh ! Oh ! C'est un comble ! C'est scandaleux ! Il n'y a plus aucun respect pour la sorcellerie !

La doyenne hochait la tête avec tristesse:

– F'est bien frai! Il n'y a plus de refpect pour la forfellerie!

– Vengeance! cria la sorcière de la rue Dépreuve. Faisons subir aux habitants les misères qu'ils nous font subir!

– Oui! Oui! Oui! clamèrent les sorcières.

Et comme elles approuvaient leur consœur, elles firent un ban en son honneur. Savez-vous comment? Elles se tenaient en rond par les épaules, front contre front. Elles piétinaient. Elles éructaient et lâchaient des vents malodorants en se tapant du poing sur les côtes. Puis elles se mouchèrent un grand coup sans mouchoir, entre leurs doigts crochus: PFFFOuaccc! (Elles se léchèrent les doigts car elles raffolaient de la morve.)

– Moi, ricana la sorcière de la rue Ban, je transformerai les habitants de ma rue en statues de pierre, et je conseillerai aux plaignants d'aller voir ailleurs si j'y suis!

– Oui! Bravo! C'est un comble!

– Moi, promit la sorcière de la rue Dafère, je leur collerai des grosses tartes à la moutarde dans la figure, et je leur proposerai des petites cuillers pour les déguster!

– Oui! Oui! Bravo!

– Moi, dit la sorcière de la rue Éverlor, je changerai la ville en une gigantesque mare puante, et je demanderai aux habitants s'ils souhaitent que je les transforme en hippopotames pour la traverser!

– Oui! Bravo! Très bien! On va rire!

– Moi, annonça méchamment la sorcière de la rue Dépreuve, je leur ferai tomber toutes les dents, et quand ils auront faim, je leur offrirai des noisettes !

– Hi-Hi-Hi ! riaient les sorcières. C'est un comble !

Alors, elles se tournèrent vers la doyenne pour lui demander quelle calamité elle comptait infliger aux habitants irrespectueux.

– Moi, dit la doyenne gravement, je mettrai le feu en pleine nuit à tous les paillaffons. Puis je téléphonerai aux pompiers pour leur propofer de l'effenfe !

Tout le monde approuvait.

On fit un ban d'honneur à la doyenne, puis on se sépara.

Et bientôt, les désastres frappèrent la ville, si bien qu'il n'en resta plus rien. Ni personne. Et alors les sorcières pleurèrent qu'elles manquaient de victimes à importuner. C'est un comble !

On a beaucoup joué aux combles à la fin du XIXᵉ siècle. L'écrivain humoriste Alphonse Allais était un grand spécialiste.

– *Quel est le comble de la pose ?*
– *C'est de ne pas sortir de chez soi et de sonner sur son piano toutes les heures et toutes les demies pour faire croire aux voisins qu'on a une pendule.*

– *Quel est le comble de l'inattention ?*
– *Se perdre dans la foule et aller au commissariat de police donner son signalement.*

– *Quel est le comble de la politesse ?*
– *S'asseoir sur son derrière et lui demander pardon.*

– *Quel est le comble de la distraction ?*
– *Avoir perdu ses lunettes et les mettre pour les chercher.*

– *Quel est le comble de l'habileté ?*
– *Arriver à lire l'heure sur un baromètre.*
Etc.

Fais faire une sottise à un personnage. Puis, au lieu de le faire s'excuser, fais-lui-en faire une seconde encore plus grosse. (Si tu réussis, tu feras bien rire tes auditeurs !)

– *Quel est le comble du soldat ?*
– *C'est de mettre une fleur dans le canon de son fusil et d'aller demander à son général de lui prêter un arrosoir pour la faire pousser.*

La sorcière anonyme

Le maire avait réuni le conseil municipal :

– La situation est grave : depuis quatre jours, quelqu'un fait du tort à notre ville et commet méfait sur méfait !

– Je crois que c'est une sorcière, dit le commissaire de police.

Les conseillers protestèrent :

– C'est impossible ! Nous avons signé des accords avec toutes les sorcières de la région !

– Peut-être en avons-nous oublié une, dit le maire.

Les conseillers se taisaient, embarrassés. Le commissaire tira un carnet de sa poche. Il lut ses notes :

Lundi 20 mai : l'escalier en colimaçon de la tour Billon se transforme en coquille d'escargot ; vingt-cinq visiteurs y tournent toute la nuit avant de retrouver la sortie.

Mardi 21 mai : rue Minant, un troupeau de vaches, arrivé on ne sait comment, broute les étalages des épiceries.

Mercredi 22 mai : à la mairie, le bureau de Monsieur le Maire se transforme en une grosse **tortue** qui se met à marcher.

Jeudi 23 mai (c'était hier) : à la caserne, le général Bol découvre que ses chars d'assaut ont été métamorphosés en éléphants et que leurs canons sont devenus des trompes.

– Je ne sais pas ce qui va se passer aujourd'hui...

Il fut interrompu par la sonnerie du téléphone. Le maire décrocha l'appareil. On l'entendit qui répondait : « Oui. Oui. Hein ? Où ça ? Bon sang ! »

Puis il raccrocha. Il était très pâle. Il déclara :

– Messieurs ! Le lycée Cédille vient de s'envoler ; il est maintenant posé sur une colline à cinq kilomètres.

Tout le monde poussa les hauts cris ! « Qui a fait ça ? C'est intolérable ! Ça suffit ! » Le commissaire de police levait les bras pour apaiser les conseillers en colère. Il reprit son carnet :

– L'auteur des méfaits a laissé chaque fois une signature, mais jamais la même. Le lundi 20 mai, il a signé à la peinture blanche : « BIÈRE ARABE, LARD CORSE ».

Les conseillers se regardaient avec perplexité :

– Ça ne veut rien dire !

– Attendez ! dit le commissaire. Le mardi 21 mai, il a signé à la peinture rouge : « BÉLIER CRÉOLE AU DÉBARRAS ». Le mercredi 22 mai, il a signé en noir : « ARDOISE BLEUE, BARRE RACLE ». Et le jeudi 23 mai, il a signé à la peinture bleue : « SERBE ÉCRABOUILLÉE, RADAR ».

– Et aujourd'hui, compléta le maire, il a signé en vert : « SACRÉE OREILLE DURE, BABAR ».

Le conseil municipal se taisait. On aurait entendu une mouche lâcher un pet.

– Ça ne veut rien dire, murmura enfin le premier adjoint.

– Si, dit le commissaire. Car ce sont toujours les mêmes lettres qui sont utilisées pour composer ces signatures.

– Que voulez-vous dire ?

– Je veux dire qu'en les combinant autrement, nous pourrions sans doute découvrir l'identité de l'auteur des méfaits.

Tout le monde applaudit. Le maire distribua des crayons et des feuilles de papier à ses conseillers. Tous se mirent au travail, et au bout d'une heure, voilà ce qu'ils avaient trouvé :

CRABE, ÉRABLE, ORDURE SALIE… RUDE BARBARE, CIEL, LA ROSÉE… DIABLE RARE OSE, BAR RECULE … SALIÈRE DE BEURRE, BLOC, ARA… ÉCRIRE, BARDA, LE LASER, BOULE… ÉCU, SABRE, BRADE, OREILLER, A… LIBÉRA ROUBLARDE ÉCRASÉE… BRASIER, ARBRE, DOUCE, ELLE A… ROSIÈRE BRÛLA, BRADE CALÉE…

Mais tout cela ne rimait à rien !

Pourrais-tu les aider ? Voici les lettres à leur disposition. A A A E E E E
E (ou È) I O U / B B C D L L R R R R S.

Réponse : LA SORCIÈRE DE LA RUE BARBE.

Au XVIᵉ siècle, François Rabelais, l'auteur de «Pantagruel»,
avait été inquiété par la Sorbonne, qui jugeait son livre obscène.
C'est pourquoi il publia «Gargantua» sous un faux nom, qu'il
avait composé avec les lettres de son prénom et de son vrai nom.
Il se fit appeler ALCOFRIBAS NASIER. (Ce qui ne l'empêcha pas
d'ailleurs d'avoir de nouveaux ennuis à cause de ses livres.)

Au XVIIᵉ siècle, les Précieuses (dont nous t'avons déjà parlé)
se réunissaient chez Catherine de Rambouillet, à Paris. Catherine
de Rambouillet se faisait appeler Arthénice (Catherine).

Au début du XXᵉ siècle, un groupe d'écrivains farceurs se
moqua des faux amateurs d'art moderne en trempant la queue
d'un âne appelé Aliboron dans des pots de peinture, et en laissant
l'âne barbouiller une toile. Puis ils exposèrent «l'œuvre» dans
une galerie parisienne. Ils l'avaient intitulée «Coucher de soleil
sur l'Adriatique», et prétendaient qu'elle avait été peinte par
l'Italien BORONALI. Beaucoup d'imbéciles vinrent admirer cette
peinture.

– Transforme les prénoms de tes camarades… Voici ce qu'ils
ont déjà trouvé sans t'attendre :
   Laure… La rue. Carlos… L'oscar. Cécile… Ce ciel.
   Caroline… Calorie N. Mélina… L'animé. José… J'ose.
   Camille… Il calme. Fabienne… Fane bien.
   Continue…

– **Tu** peux aussi chercher des anagrammes de slogans
publicitaires, ou d'ordres simples comme «Stationnement interdit»
ou «Défense de fumer», etc.

Un bon conseil :
   Écris les lettres dont tu as besoin sur des petits papiers. Puis
assemble tes petits papiers : c'est plus facile que d'écrire.

La sorcière mal guérie

La sorcière de la rue Gissement perdait la tête. En parlant, elle ne pouvait pas s'empêcher-*chérubin-bain de minuit*, d'ajouter des chaînes de mots aux mots qu'elle prononçait-*séduction-scions du bois-bois un coup-couteau-taupinière*.

A la fin, elle en avait marre-*marabout-bout de ficelle-selle de cheval-cheval de course-course à pied-pied de cochon-cochon de ferme-ferme ta g...*

Elle alla consulter le médecin

– Débarrassez-moi de ce tic, docteur, car c'est agaçant-*sentinelle-aile de poulet-laideron-ronronnement-menteur.*

– C'est facile, déclara le docteur. Je vais vous donner des suppositoires.

– Ah! s'écria la sorcière. Merci!-*cinéma-matelas-lapin-pintade.*

Elle acheta des suppositoires à la pharmacie.

– C'est pour me guérir, expliqua-t-elle, de mes chaînes de mots-*moralité-taie d'oreiller.*

Elle rentra chez elle en chantant. Elle jeta les

suppositoires dans sa grande marmite. Elle y versa
de l'huile de ricin, du tapioca, des poils de chameau,
des dents de poule et des boyaux de vélo de course.
Elle chantait en touillant sa mixture avec un grand
bâton :

C'est bon, c'est bon !
Ce merveilleux médicament
Me guérira en un moment !

Elle prononça une formule magique et elle avala sa mixture, GLOUP !

Ce n'était vraiment pas bon, et la sorcière avait grande envie de vomir-*mirliton-Tombouctou-toupie-pirate-ratatouille*!

Et le pire(-*pirate-ratatouille*!), c'était que la sorcière n'était pas guérie! Elle courut chez le médecin.

– Docteur! Vos suppositoires ne me guérissent pas-*palmeraie-règlement-menthe à l'eau*!

– C'est bizarre, dit le médecin. C'étaient des suppositoires formidables. Je ne comprends pas. Vous les avez bien pris comme il fallait?

– Certainement! s'écria la sorcière furieuse. Je les ai mangés-*géographie-philosophe*! Mais si je me les étais mis au derrière, ils m'auraient fait autant d'effet! (-*fais pas l'imbécile-s'il te plaît!*)

Ce jeu est plus stimulant à pratiquer avec des camarades: qui fera la plus longue chaîne?

JE PARIE QUE CE SERA MOI – MOISISSURE – SURMENÉ – NEZ EN TROMPETTE – PÉTERSBOURG – BOURRICOT – COMÉDIE – DINOSAURE – SORCIÈRE!

Acrostiche

Attention ! Ce charmant conte de fée a été écrit par une odieuse sorcière !
Il est sûrement empoisonné !

La fée qui ne voulait pas être remerciée

Quand la nuit vient sur la forêt,
Une fée menue apparaît.
Elle est habillée de long tulle.

Comme une ronde et belle bulle,
Elle va ; c'est un feu follet
Lumineux et tout étoilé !
Une chanson est à sa bouche.
Il ne faut pas qu'on l'effarouche !

Quelque part, un hibou sans géne,
Ulule au sommet d'un grand chêne ;
Il salue le monde et la nuit.

La fée se déplace sans bruit.
Imaginez une chaumière,
Regardez-la dans la clairière :
Avez-vous vu le bûcheron ?

99

Couché, il a la fièvre au front.
Endolori, malade, il dort.
Tout doucement, la fée alors
Traverse la porte légère,
Et illumine la chaumière !

Le pauvre bûcheron en fièvre
En dormant sourit dans son rêve.
Tout doucement la fée volette,
Tintinnabulante et fluette,
Rayon de lune charitable,
Elle se pose sur la table.

Ses petits pieds font des merveilles :
Observez ! sur la table vieille,
Il y a de l'or tout à coup :
Trois écus comme des bijoux !

Couché, le bûcheron soupire.
Heureux en dormant, il s'étire.
Apaisé, il va déjà mieux.
Notre fée aux si jolis yeux
Gentiment a veillé sur lui,
Et s'éloigne au bout de la nuit…

Elle glisse sur la bruyère.
Ne pars pas, ô fée familière !

Gracieuse fée aux doigts fleuris,
Regarde l'homme: il est guéri!
Etonné, il attend l'aurore:
Ne peux-tu pas rester encore?
Ô bonne fée, l'homme se lève
(Une mauvaise nuit s'achève),
Il s'interroge, pauvre diable:
Les trois écus d'or, sur sa table?
La fée s'en est allée car elle ne veut pas
Entendre un homme heureux qui dit merci tout bas...

Compris? Pas compris? Lis les mots formés verticalement par les premières lettres de chaque ligne, tu découvriras le message empoisonné de la sorcière!

On écrit des acrostiches depuis très longtemps. Au Moyen Age, le grand poète français François Villon signa une ballade par un acrostiche à son nom: VJLLONE.

A l'époque de Louis XIV, un homme sans argent adressa au roi ce poème:

L ouis est un héros sans peur et sans reproche.
O n désire le voir. Aussitôt qu'on l'approche,
U n sentiment d'amour enflamme tous les cœurs:
I l ne trouve chez nous que des adorateurs;
S on image est partout, excepté dans ma poche.

L'image de Louis XIV, évidemment, était celle qui figurait sur les pièces de monnaie... dont notre poète flatteur manquait tant!

Rions!
Au début de notre siècle, l'humoriste Willy envoya un sonnet à Monsieur Mangeot, directeur d'un journal. Mangeot publia le

sonnet dans son journal sans se méfier. S'il l'avait lu plus attentivement, il se serait aperçu qu'il s'agissait d'un acrostiche où l'on pouvait lire verticalement: «MANGEOT EST BÊTE!»

Voici quelques autres formes d'acrostiches:
1) Il existe des acrostiches où l'on doit lire, au lieu de la première lettre de chaque ligne, le premier mot. Le plus célèbre est celui que le poète Alfred de Musset envoya à la romancière George Sand, au XIXᵉ siècle. Nous ne le citons pas car il lui donnait un rendez-vous galant très osé...

Voici en revanche un acrostiche du même genre, où une dame semble dire à un monsieur qu'elle l'aime beaucoup. Mais lisez plus attentivement!

Monsieur, si loin de vous, je dépéris, je meurs!
Vous me faites languir! Voyez: je suis en pleurs!
Me voilà torturée, le cœur broyant du noir!
Cassez cette douleur, donnez-moi de l'espoir!
Les sens à la dérive, et triste, à vos genoux,
Pieds et poings liés, Monsieur, me voilà toute à vous!

2) On peut faire un acrostiche à la fin des vers au lieu de le faire au début. On peut aussi le faire au début ET à la fin.

3) On peut faire un acrostiche avec les premières syllabes des vers.

4) On peut faire un acrostiche avec les lettres de l'alphabet dans l'ordre, au début ou à la fin des vers. Ainsi, un poète du XIXᵉ siècle:

Quand Adam fut créé, tout seul il s'ennuy... A
etc... jusqu'à Z!

5) On peut faire un acrostiche enfin avec des chiffres, comme l'épitaphe du Maréchal de Saxe, au XVIIIᵉ siècle:

Son courage l'a fait admirer de chac... 1
Il eut des ennemis mais il triompha... 2
Les rois qu'il défendit sont au nombre de... 3
Pour Louis son grand cœur se serait mis en... 4
etc... jusqu'à 10!

Essaie d'écrire un petit texte en prose, de manière que les premières lettres de chaque ligne composent ton prénom ou celui d'un camarade (acrostiche de lettres).

Devine le prénom du garçon qui a composé celui-ci :
D'abord, couche-toi,
Après, endors-toi ;
Vois comme la nuit est belle.
Il fait noir.
Dors, il est temps.

Celui-là a préféré parler de la nature :
Feuilles d'automne
Etourdies par le vent
Usées par le froid
Innombrables dans le ciel
Lumineux de l'automne
Légères dans l'air humide
Egarées, perdues
Seules, oubliées...

Joli, n'est-ce pas ?

Mais tu peux aussi composer un acrostiche de mots, comme cette fillette qui n'a pas l'air d'aimer l'école :
Je crois qu'il faut que je vous dise que je
déteste la paresse et les paresseux. Je pense que
la classe est une bonne chose pour les enfants, et que la
dictée est un agréable divertissement nécessaire.
Et je dirai même que les enfants qui n'ont pas compris que
les mathématiques sont un jeu sont des nigauds, car les
mathématiques, la rédaction, la dictée me plaisent beaucoup

Ne dis jamais aux gens que tu leur montres un acrostiche, et tu t'amuseras de les avoir abusés. (Si tu les préviens, tu ne les tromperas pas !)

La pomme

Julie contemplait la pomme. Elle était rouge, jaune, verte, c'était une belle pomme ronde et luisante. Julie la caressait :

– Pomme, tu es trop jolie. Je ne te mangerai pas !

– Merci bien, dit la pomme.

En entendant cette drôle de petite voix, Julie regarda autour d'elle : elle cherchait «qui» avait parlé.

– C'est moi, répéta la pomme. Moi, la pomme.

Incrédule, Julie abaissa ses yeux sur le beau fruit :

– Tu... tu parles ? (Elle avait peur que quelqu'un, caché, ne se moque d'elle ; elle observait les alentours. Il n'y avait personne.) Une pomme ça ne parle pas !

– Mais moi je parle, dit la pomme. Et je te remercie de ne pas me croquer. C'est aimable de ta part.

La petite fille rentra chez elle. Elle gardait la pomme dans sa poche. Le soir, elle la prit dans son lit. Elle la caressait.

– Si tu veux, pomme, tu seras ma poupée.

– Ce n'est pas une situation intéressante, murmura
la pomme.

– Si tu préfères, proposa Julie, tu seras mon amie.

– Je veux bien, dit la pomme.

Julie et la pomme s'endormirent. Le lendemain
matin, Julie s'apprêta pour aller à l'école :

– Je vais te laisser à la maison, dit-elle à la pomme.

– Et pendant ton absence, ta mère me mangera! dit la pomme.

– Ou bien, dit Julie embarrassée, je vais te cacher dans un placard.

– Et comme ça, les souris me mordront! objecta la pomme.

– Je vais te cacher dans la corbeille à linge.

– Et je pourrirai! dit la pomme.

– Bon, décida Julie. Je vais t'emporter avec moi. Es-tu contente?

– Ça me convient, dit la pomme. Ça me fera voir du pays.

Ensemble, elles allèrent à l'école. Julie tenait la pomme dans sa poche, et lui faisait des recommandations:

– Tu devras être sage et ne pas parler.

En classe, les enfants récitèrent un poème:

Simone, allons au verger,

Avec un panier d'osier.

Nous dirons à nos pommiers

En entrant dans le verger:

Voici la saison des pommes!

Allons au verger, Simone!

Allons au verger!

– C'est une belle poésie, protesta la pomme en

colère, mais si vous allez au verger pour manger les pommes, merci bien !

– Qui a parlé ? demanda le maître.

Il cherchait partout. Julie leva la main :

– C'est ma pomme.

Elle tira la pomme de sa poche et elle l'exhiba, toute ronde, toute luisante, avec ses jolies couleurs fraîches. Les élèves éclatèrent de rire. Une pomme qui parle ! Ça n'existe pas !

– Taisez-vous, galopins ! dit la pomme en colère.

Du coup tout le monde se tut : c'était fantastique. (Mais le maître se demandait s'il n'y avait pas un enfant ventriloque qui lui jouait une farce.)

– Bon, dit le maître. Vous dessinerez cette pomme sur le cahier de poésies. Elle est réellement très jolie.

– Merci, dit la pomme flattée. (C'était une pomme très coquette.)

Les élèves dessinèrent la pomme. D'où elle était posée, elle ne voyait pas tous les dessins, mais elle faisait des commentaires :

– Un peu plus de rouge, Félicien ! Un peu plus de vert, Paulo ! Ne me fais pas une queue si longue, Johanne ! Et toi, Laure, tu m'as faite trop mince ! Toi, Muriel, tu m'as faite trop grosse ! Nicolas, au moins, m'a dessinée comme il faut !

Les enfants corrigeaient leurs dessins. La pomme leur disait des devinettes: Pourquoi les pommes n'ont-elles jamais peur de la pluie? Ils donnaient leur langue au chat. C'est parce que nous avons des «pépins», expliquait la pomme en riant. Elle était contente. Après, le maître proposa un problème difficile: Sachant que je mesure 1 m 70, combien mesure mon demi-frère? Les enfants cherchaient, cherchaient. La pomme aussi.

Le soir venu, Julie rentra chez elle. Au moment de partir, elle était pressée, elle oublia la pomme dans la classe. Quand elle s'aperçut de son oubli, elle revint très vite sur ses pas. Elle trouva sa pomme toute malheureuse car une femme de ménage l'avait mordue.

– Pauvre pomme! dit Julie en la caressant et en déposant un baiser sur sa peau douce. Pardonne-moi.

– Ce n'est rien, dit la pomme. Ça fait un peu mal. Mais si tu avais vu la peur de la femme de ménage quand j'ai crié «Aïe!» Elle a pris la fuite en criant!

Julie rapporta la pomme à la maison; le fruit souffrait d'une morsure profonde, mais par chance, la femme de ménage avait été tellement effrayée qu'elle l'avait lâché aussitôt. Julie et la pomme s'endormirent.

– Tu sais, avait dit la pomme en se couchant (et sa petite voix semblait faiblir), je ne resterai plus longtemps avec toi.

– Ah? dit Julie un peu triste. Pourquoi?

Elle savait que les fruits mouraient. Elle savait qu'ils naissaient des fleurs sur les arbres, qu'ils grandissaient, mûrissaient, mais qu'un jour d'automne, leur peau se fripait. Elle pensait que c'était pour plus tard. Plus tard.

Mais le lendemain, la pomme allait mal. Autour de la morsure, sa peau s'était desséchée. Une large mâchure apparaissait à l'endroit où elle s'était fait mal en tombant, quand la femme de ménage l'avait lâchée.

– Je n'irai pas à l'école avec toi aujourd'hui,

murmura la pomme, je ne me sens pas bien. (Sa voix était de plus en plus faible.)

— Je ne vais pas à l'école non plus, dit Julie, c'est mercredi.

Toute la journée, elle prit grand soin de sa pomme. Elle lui parlait, la caressait. Mais la voix de la pomme s'éteignait. Julie était obligée de coller le fruit à son oreille, comme un coquillage, pour l'entendre encore.

— Écoute-moi, chuchota la pomme. Bientôt, tu ne m'entendras plus. Alors tu vas aller dans ton jardin, et tu vas m'enterrer tout de suite. Fais ce que je te dis.

Tristement, Julie obéit. Avec sa petite pelle, elle creusa un trou ; elle y ensevelit la pomme après lui avoir donné un baiser.

— Tu n'oublieras pas d'arroser ma tombe, avait recommandé la pomme.

Julie l'arrosa tous les jours. Un beau matin de printemps, une toute petite voix aigrelette l'appela :

— Bonjour Julie ! Je suis contente de te revoir !

— Quoi ? (Julie cherchait partout, comme la première fois.)

— Regarde à terre ! Ne vois-tu pas la petite pousse ?

En effet, une pousse verte ne ressemblait pas au gazon.

– C'est moi, la pomme, reprit la voix aigrelette. Je suis devenue une pousse. Bientôt, je serai un pommier, nous vivrons ensemble !

Julie dansait de joie d'avoir retrouvé son amie.

Le pommier devint grand et fort.

Julie devint une jolie jeune fille, qui se fiança, qui se maria, qui eut des enfants.

Ses enfants se marièrent à leur tour, et Julie devint une grand-mère. Ses petits-enfants s'étonnaient auprès de leur grand-père de voir leur chère mamie chaque matin auprès du pommier, devenu bien vieux lui aussi.

– Chut ! répondait le grand-père. Mamie parle avec son amie.

– Quelle amie ? demandaient les enfants.

– Son amie la pomme, répondait le grand-père.

Et c'est vrai que tous les jours, Julie retrouvait son amie.

Elles parlaient du bon vieux temps ; la pomme était grave en évoquant l'école :

– Tout de même, disait-elle, j'aurais bien aimé y aller plus souvent. J'aurais pu y apprendre tellement de choses !

La petite pomme aime les devinettes et les problèmes.

Connais-tu la plus vieille devinette célèbre, celle que proposa le Sphinx à Œdipe:
Qui est-ce qui marche à quatre pattes le matin, à deux pattes le midi, à trois pattes le soir?
Réponse: l'homme! Il marche à quatre pattes étant bébé. Il se déplace sur deux jambes étant devenu adulte. Et, vieillard, il marche en s'appuyant sur une canne…

Voici une devinette de Victor Hugo:
Dans quel pays les chats se servent-ils de mouchoirs?
Dans les pays chauds. Parce qu'il y a des moustiques et les chasse-mouches! (Les chats se mouchent!)

Voici trois devinettes avec des calembours:
Pourquoi les dolmens vont-ils à Rome le jour de Pâques?
Pour se faire menhir par le pape.

Pourquoi ne faut-il pas faire d'omelette le jour de l'an?
Parce qu'on ne fait pas d'omelette sans casser les vœux.

Savez-vous pourquoi les écologistes qui travaillent en foret n'ont jamais froid?
Parce qu'ils ont un boulot vert!

Et maintenant, quelques problèmes… pour rire!

Sachant que le premier de la classe n'arrive jamais avant les autres aux grandes vacances, quel intérêt y a-t-il à être le premier?

Sachant que j'ai lancé le dé à jouer huit fois pour faire un UN, sept fois pour faire un DEUX, six fois pour faire un TROIS, cinq fois pour faire un QUATRE, quatre fois pour faire un CINQ, trois fois pour faire un SIX, combien de fois devrai-je lancer le dé pour faire un SEPT?

Sachant qu'un robinet débite un litre d'eau toutes les trente secondes, en combien de temps remplira-t-il un panier à salade d'une capacité de soixante-dix centimètres cubes? En combien de temps remplira-t-il cent paniers à salade? En combien de temps videra-t-on le robinet?

Un dernier problème, plus difficile:

Un TGV roulant à cent quarante km/h quitte Paris à destination de Lyon à 15 heures 28. Un autre TGV, roulant en sens inverse à cent quatre-vingts km/h part de Lyon trente minutes plus tard. Chaque TGV mesure cent vingt-cinq mètres de long. Combien de temps faudra-t-il au second TGV pour croiser entièrement le premier, sachant qu'ils roulent tous deux sur la même voie et que les aiguilleurs sont en grève?

La devinette existe depuis l'Antiquité. Le faux problème est plus récent. Il date en gros du développement de l'école publique à la fin du XIXe siècle. Il peut d'ailleurs être plus poétique que drôle, à preuve celui-ci de Jean Tardieu:
Étant donné un mur, que se passe-t-il derrière?

On compose la devinette comme un roman policier. Il faut inventer la solution d'abord, et chercher la question après. Tu peux te servir d'un jeu de mots. (Exemple connu de tous les écoliers: *Peux-tu porter six gares? Oui, je peux porter un ci-gare.*)

La devinette peut aussi se faire en parlant vaguement des personnes. (Exemple ancien: *Qui est-ce qui est noir le jour et blanc la nuit? Le curé, en soutane noire le jour, en chemise de nuit blanche pour dormir.*)

La devinette peut être absurde. (Exemple: *Pourquoi les chevaux ont-ils quatre fers aux pieds? Pour ne pas s'envoler.*)

La devinette peut être dessinée.

Exemple: qu'est-ce que c'est?

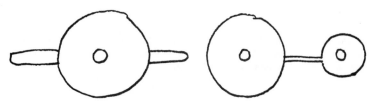

Un Mexicain sur un vélo vu d'avion.　Un Mexicain en train de se faire un œuf au plat vu d'avion.

Si tu veux composer des problèmes, commence par proposer des solutions absurdes*. Le problème le plus connu: *Connaissant la longueur du bateau et la vitesse du vent, calculez l'âge du capitaine.*

CHERCHEZ   LA QUATRIÈME SORCIÈRE !

* Il faut faire semblant de donner des précisions mathématiques dans l'énoncé du problème. Mais ces précisions *ne doivent servir à rien!* La forme est toujours la même: «Sachant que... calculez».

La sorcière qui n'aimait pas la musique…

Ce n'était pas une hôtesse de l'air, ce n'était pas une assistante sociale, mais c'était une sorcière perverse. Elle ne tenait pas en main une flûte douce, elle ne tenait pas une flûte traversière, mais une grossse trompette. Elle ne souffla pas dessus, elle ne souffla pas dessous, mais elle souffla dedans si fort qu'il en sortit un barrissement d'éléphant qui fit trembler l'immeuble et qui donna la chair de poule à ceux qui l'entendirent. (On dit même que le locataire du sixième étage en perdit son pantalon!)

Alors la sorcière ne joua ni une berceuse ni une chanson douce, mais elle interpréta sans s'arrêter une épouvantable cacophonie à donner la colique aux oiseaux. Elle ne s'arrêta pas pour déjeuner, elle ne s'arrêta pas pour dîner, elle ne s'arrêta pas pour regarder la télévision. Les malheureux voisins n'arrivaient pas à la faire taire, car elle jouait pour embêter le monde!

C'est pourquoi un monsieur du troisième étage

ne prit pas son mal en patience, ne prit ni son parapluie ni le train, mais prit la guitare électrique de son fils, et se mit à la faire hurler pour faire plus de bruit que la sorcière, et pour l'embêter à son tour. Il ne savait pas jouer, mais le tintamarre était grand. Si bien que les voisins ne pouvaient pas regarder la télévision sur la première chaîne, ne pouvaient pas regarder la télévision sur la deuxième chaîne, ne pouvaient pas regarder la télévision sur la troisième chaîne, etc., etc. Ils ne pouvaient pas regarder la télévision du tout. Ils ne s'entendaient plus chuchoter, ils ne s'entendaient plus parler, c'est pourquoi ils criaient à tue-tête.

Ils ne toquèrent pas à la porte de la sorcière pour la prier de se taire, ils n'y frappèrent pas davantage, mais ils tambourinèrent dessus à coups de pied – et même pas en mesure. Ils n'essayèrent pas plus de persuader le guitariste par la douceur, ni de lui faire entendre raison par le dialogue, ils menacèrent tout simplement de faire sauter son appartement à la dynamite.

Alors le locataire du cinquième, sa femme et leurs deux enfants ne se mirent pas en pyjama, ne se mirent pas au lit, mais sortirent des instruments de musique d'un placard. Ils ne jouaient pas du mirliton,

ils ne jouaient pas de l'harmonica, mais de la batterie. Ils ne la battaient pas avec modération, ils ne la battaient pas avec talent, mais ils la battaient de toutes leurs forces comme des brutes, afin d'embêter la sorcière et le guitariste du troisième. Si bien que dans l'immeuble, le fracas devint assourdissant.

Le voisin du premier étage ne jouait ni du mélodica ni du triangle, mais d'un volumineux trombone.

La vieille dame du quatrième ne tirait pas sur un accordéon, mais martyrisait un orgue électronique. Le monsieur et la dame du second ne grattaient pas de la mandoline, mais tiraient des coups de pistolet par les fenêtres. (On prétend même que quelqu'un ne lança pas une pomme dans le vide-ordures, mais une bonne douzaine de grenades.)

Dans l'immeuble, ce ne fut plus qu'un grand charivari, car tous les habitants soufflaient dans des tubes, tapaient sur des lessiveuses dans le but de faire plus de bruit que le voisin !

C'est alors qu'il se passa une chose pas banale !

Les habitants de l'immeuble voisin, qui ne pouvaient plus s'entendre, n'essayèrent même pas de se boucher les oreilles, ni de mettre la télévision plus fort, ni de se taire, mais ils se procurèrent de gros instruments. A leur tour, ils ne sabotèrent pas de douces mélopées, ils ne sabotèrent pas des ariettes aimables, mais ils massacrèrent des marches militaires. Ils faisaient tellement de dégâts que les habitants des autres immeubles, ne pouvant ni dormir ni regarder la télévision, commencèrent à jouer de la musique affreuse eux aussi.

Dans toute la ville, ce fut un chahut formidable ! Et dans la ville voisine, on ne put ni dormir ni parler.

Alors on ne dormit pas, alors on ne parla pas, mais on joua de la musique explosive et tonitruante, histoire d'embêter la ville d'à côté.

Dans le département, puis dans la province, puis dans le pays, les habitants ne fredonnaient plus de chansons légères pour adoucir les mœurs, ils ne berçaient plus les bébés pour les endormir, mais ils fracassaient d'incroyables tambours à coups de marteau, faisaient rugir les amplificateurs, siffler les tuyaux, grincer les cordes comme de vieilles portes rouillées. Ce n'était pas beau. Ce n'était pas musical. Ce n'était pas intelligent, mais les fabricants d'instruments faisaient fortune.

Et dans les pays voisins, on n'arrivait plus à manger en paix la choucroute, on n'arrivait plus à manger en paix le pudding, on n'arrivait plus à manger en paix les spaghetti, mais on beuglait mieux que cent milliards de vaches, on tonnait plus haut que mille tonnerres !

Et bientôt, dans tous les pays du monde, on ne fit plus de musique avec des violons, on ne fit plus de musique avec des violoncelles, on ne fit plus de musique avec des contrebasses, mais on fit du bruit plus fort que les autres avec des canons et des bombes. La Terre entière ne s'entendait plus. Les

autres planètes non plus ne s'entendaient plus. Les Martiens, les Saturniens, les Jupitériens ne parvenaient plus à regarder leur télévision, ne parvenaient plus à dormir, mais firent de gros efforts pour entrer dans le concert en se montrant plus forts que les autres. L'univers entier fit du bruit, et ne connut plus jamais la paix !

Alors la sorcière ne souffla plus dans son instrument, ne souffla plus dans aucun instrument, mais se mit à ricaner toute seule dans son coin. Elle ouvrit sa fenêtre et ne regarda pas le paysage, ne regarda pas la beauté du ciel étoilé, mais se délecta du spectacle des hommes qui se battaient partout à qui ferait le plus de bruit.

Ne pas! Ne plus! Ne rien! Ne jamais! Ni personne!

L'humoriste Tristan Bernard reçut un jour un jeune écrivain venu lui parler d'un livre qu'il venait d'écrire, mais auquel il ne parvenait pas à donner un bon titre.

– Voyons? dit Tristan Bernard. Y a-t-il un tambour dans votre livre?

– Non.

– Y a-t-il une trompette?

– Non.

– Alors appelez-le «Sans tambour ni trompette!»

Dans ses «Exercices de style», Raymond Queneau a placé une petite histoire négative: «*Ce n'était ni un bateau, ni un avion, mais un moyen de transports terrestres. Ce n'était ni le matin, ni le soir, mais le midi. Ce n'était ni un bébé, ni un vieillard, mais un jeune homme.*» Etc…

Commence par décrire quelqu'un ou quelque chose NÉGATIVEMENT. (Ce n'est pas… Il ne fait pas ceci, cela…)

On peut jouer à plusieurs. Un joueur sort, les autres se mettent d'accord pour parler d'un personnage ou d'une personne. Quand le joueur revient, chacun décrit ce personnage ou cette personne en disant ce qu'elle n'est pas ou ne fait pas… Le joueur cherche à deviner de qui l'on parle.

Cauchemar!

Voici venir vingt vampires verts! Six sales sorcières sifflantes suivent! Deux dragons déchaînés dégobillent des déchets dégoûtants! Attention aux affreux assaillants! Courez, car cinquante crapauds crachent cent cancrelats caoutchouteux! Trente terrifiants tapirs tonitruent! Huit hiboux hululent: hou-houuu! Mille monstres malins mordent! Soixante scorpions sautent sur sept squelettes sarcastiques! Cent cavaliers chevauchent cent centaures colossaux! Lucifer lâche les loups-garous livides! Douze diables dévorent des dames! Fuyez, faibles femmes!

TOUS les mots d'une phrase commencent par la même lettre!

Cet exercice est très ancien. Au XVIᵉ siècle, l'Allemand Christianus Pierus composa un poème en latin long de mille deux cents vers et consacré à Jésus-Christ. Tous les mots commençaient par la lettre C! (Ce même auteur en fit un second avec la lettre M, à la gloire de l'empereur Maximilien.)

En France, Chrétien Adam (un avocat) écrivit une vie de sainte Cécile avec des mots commençant par la lettre C.

Etienne Tabourot écrivit ces vers sur le roi François II :

*F*rançois faisant fleurir France
*R*oyalement régnera,
*A*mour aimable aura,
N'y aura nulle nuisance ;
*C*onseil constant conduira,
*O*rdonnant obéissance ;
*I*njustice il illustrera
*S*ur ses sujets sans souffrance.

Cette pièce de poésie (médiocre !) est également un acrostiche.

Compose des petites phrases. (Dans un premier temps, tu peux te permettre d'utiliser quelques articles.)

Ma malheureuse mamie macrocéphale (?), malade, mangea malproprement mes merguez marocaines, mes merlans marinés, mes malabars mous, mon melon, mes mirabelles mûres, mes Mars moelleux, mes meringues molles.

Si tu veux enchaîner des phrases, choisis de faire une description dramatique ou comique, ou fantastique. Tu peux aussi décrire un zoo, un cirque, une fête foraine, un défilé de carnaval, une bataille dans l'espace, une place de ville envahie par les extraterrestres ou les touristes, etc.

Drôle d'histoire!

Il y avait une fois dans une boîte de nuit de la capitale qui était toute petite (la boîte de nuit, pas la capitale), une sorcière et un gros hibou qui buvait du whisky (la sorcière, bien sûr, et pas le hibou). Elle avait pour ami un lanceur de couteau espagnol qui était américain (je parle du lanceur, et pas du couteau espagnol).

Or une nuit, un matelot de ferry-boat qui était en cale sèche (pas le matelot, le ferry-boat) entra dans la boîte de nuit de la sorcière qui était ouverte (la boîte de nuit, pas la sorcière). Il était accompagné d'une demoiselle maniaque avec un chat noir qui buvait de l'armagnac (pas le chat noir, évidemment, mais la demoiselle maniaque) et qui se mit à faire un esclandre parce qu'un boxeur avec sa femme qui s'appelait Gaëtan (pas la femme, le boxeur) avait osé dire que l'armagnac était une boisson écœurante.

— De quoi se mêle-t-il, celui-là! s'écria la demoiselle maniaque au chat noir qui était vexée (la demoiselle maniaque, pas le chat!) Et alors, une bagarre éclata dans la boîte de nuit de la sorcière qui était pleine de clients (la boîte de nuit, bien entendu, et pas la sorcière). Bref, le matelot de ferry-boat qui était déjà ivre (pas le ferry-boat, le matelot) se mit à frapper à coups de bouteille sur le boxeur et sa femme qui portait des pantalons de golf (le boxeur, pas sa femme). Cependant, la demoiselle maniaque au chat noir qui avait un parapluie vert (la demoiselle, forcément, pas le chat) se mit à assommer la malheureuse épouse du redoutable boxeur qui avait une robe rouge et qui était blonde (l'épouse, pas le boxeur). Tout le monde criait.

Si bien que la lumière fut éteinte subitement par la sorcière et que, quand elle fut rallumée (je parle de la lumière, et pas de la sorcière), il y avait le chat noir sous une table basse qui avait été piétiné (le chat, pas la table) dans la bousculade. En même temps, on avait appelé la police par téléphone qui arriva très vite (la police, pas le téléphone). Un officier en uniforme avec un pistolet qui avait un sifflet à la bouche (l'officier de police, pas le pistolet) faisait entendre des sifflements stridents pour arrêter le pugilat. La maniaque mordait le boxeur à l'oreille!

Enfin, tout le monde se calma dans la boîte de

nuit de la sorcière qui était chamboulée (la boîte de nuit, pas la sorcière). On remarqua alors que le chat noir se portait mieux mais qu'un consommateur en smoking avec une coupe de champagne qui n'avait rien dit de la soirée (le consommateur, mais pas le champagne) avait reçu le couteau du lanceur dans le gras de la fesse gauche. C'était forcément le lanceur de couteau qui buvait un verre de vodka (le lanceur, pas le couteau) qui avait fait le coup. Mais il n'y avait aucune preuve. L'officier de police écoutait les plaintes du consommateur à la fesse blessée qui aurait bien voulu savoir le pourquoi de l'affaire (le consommateur, naturellement, pas la fesse blessée), et qui donnait sa langue au chat (même remarque) bien que le chat fût déjà parti depuis longtemps.

Enfin bref. On ne comprenait plus rien à rien. Il y avait l'officier de police avec le consommateur au milieu de la salle qui s'arrachait les cheveux (l'officier, pas la salle). Il parlait d'emmener tout le monde au commissariat, mais la sorcière de la boîte de nuit qui était dévastée et qui en avait assez des disputes (pas la boîte de nuit, la sorcière) se mit à piétiner en grommelant des formules magiques, et changea tout le monde en lapins. Puis elle captura les lapins aux gros yeux rouges qui avaient de belles fourrures blanches (les lapins, ça va de soi, pas les yeux !) Elle les jeta dans ses clapiers ; ils doivent y être encore aujourd'hui.

Le pronom relatif n'aime pas être caressé à rebrousse-poil !

Attention ! Ce jeu se compose de fautes à ne pas faire ! Tous les élèves de France y ont joué. Malheureusement, ils ne l'ont jamais fait exprès !

Cherche une phrase avec un pronom relatif. Les constructions les plus simples sont :
Il y a… qui…
Il y avait… qui…
C'était un… qui…

Exemple : Il y a un avion qui décolle.

Pour jouer, il suffit de compliquer la première partie de la phrase :

Il y a un avion sur la piste qui décolle.

Voici trois jolies phrases par des enfants :

Il y avait des rats plein les rues qui venaient vers nous.
C'étaient des singes sur des rochers qui sautaient.
J'ai vu un gros chien avec un collier qui grogne.

Tu peux jouer avec d'autres pronoms relatifs. Par exemple :

Regardez les outils… dont je me suis servi pour faire cette étagère.
Regardez les outils du brave menuisier breton… dont je me suis servi pour faire cette étagère.

Paris est la ville… où je suis né.
Paris est la ville baignée par la Seine… où je suis né.

Le principe est le même qu'avec le pronom relatif QUI. Tu composes une phrase simple. Puis tu compliques la première partie sans toucher à la deuxième.

La sorcière faiseuse de morale

Il était une fois une sorcière qui râlait tout le temps et qui voulait devenir institutrice pour embêter les enfants. Elle se mit en route pour aller passer l'examen. Dans son escalier, elle vit la concierge bavarder avec une locataire au lieu de balayer. «Paresseuses!» pensa la sorcière. «Vous mériteriez que je vous change en perruches!» Mais par chance, elle était pressée. Elle cria d'un air menaçant:

– *A chaque jour… comme à la guerre!*

– Oui, oui, dirent les bavardes.

La sorcière poursuivit son chemin. Au pied de l'escalier, une fillette jouait à la poupée car c'était mercredi. «Paresseuse!» pensa la sorcière. «Quand je serai institutrice il faudra que ça change!» Et elle cria sans s'arrêter:

– *Ne remets pas à demain… le chat qui dort!*

– Oui, oui, répondit la fillette.

Sur le trottoir, deux garçons jouaient à la planche à roulettes au lieu de faire une bonne dictée. La sorcière était en colère. Mais comme elle était pres-

sée, elle ne les transforma pas en canards. Ils «verront quand je serai institutrice!» se dit-elle. Elle
passa en criant d'un air solennel:

– *Comme on fait son lit… on devient forgeron!*

– Oui, oui, répondirent les garçons.

La sorcière courait dans la rue. Elle vit le balayeur
s'appuyer sur le balai au lieu de nettoyer le caniveau.
Elle eut bien envie de le punir, mais elle n'en fit
rien parce qu'elle n'était pas en avance. Elle se
contenta de lui crier rapidement:

– *Il n'est pire sourd que celui qui… perd sa place!*

– Oui, oui, grommela le balayeur en se vissant
l'index sur la tempe pour dire ce qu'il pensait de la
vieille folle.

Malotru! La sorcière furieuse allait à longues enjambées. Elle vit une contractuelle qui regardait les badauds au lieu de distribuer des procès-verbaux. Paresseuse!

La sorcière cria:

— *Rira bien qui… n'a point d'oreilles!*

— Oui, oui, merci! dit la contractuelle.

Péronnelle! La sorcière trottinait. Une bande d'enfants jouait au football sur la place au lieu d'apprendre des leçons de grammaire. Fainéants! La sorcière avait envie de transformer leur ballon en un gros pavé, pour qu'ils s'écrabouillent les orteils en shootant. Mais elle était pressée. Elle cria sa leçon de morale à la cantonade:

— *Pierre qui roule… confirme la règle!*

— Oui, oui, dirent les footballeurs. Un à zéro.

«Galopins! Ils verront quand je serai institutrice! Je les dresserai à coups de trique!»

La sorcière en courant arrivait à l'École normale d'instituteurs. Elle vit le directeur occupé à compter les mouches sur le seuil au lieu d'apprendre par cœur le «Journal officiel». Quel flemmard! La sorcière avait envie de le changer en épouvantail, mais elle ne le fit pas, faute de temps, et s'engouffra dans le bâtiment. Elle cria méchamment:

– *L'oisiveté est la mère de… l'eau qui dort!*

– Oui, oui, certainement, dit le directeur en se demandant qui était cette furie. (Il ne se vrilla pas l'index sur la tempe parce qu'il était bien élevé, mais il n'en pensait pas moins.)

«Patience!» ricana la sorcière. «Ils verront de quel bois je me chauffe quand je serai institutrice! *Mieux vaut tard que… ceinture dorée!*»

Alors elle entra dans l'école. Un groupe d'instituteurs discutaient dans le couloir au lieu de corriger des copies! «Bande de paresseux! Je les changerais bien en pots de confiture!» La sorcière leur lança, sur un ton de reproche:

– *Il ne faut pas mettre la charrue… les mains pleines!*

– Oui, oui, vous avez raison, répondirent-ils.

Patience! La sorcière entra dans la salle d'examen. Les deux examinateurs l'attendaient assis à ne rien faire, fainéants! La sorcière pointa vers eux un doigt accusateur et s'écria:

– *Il faut battre le fer pendant… qu'il se mouche!*

– Oui, oui répondirent les examinateurs. Pourquoi pas!

Ils donnèrent à la sorcière une feuille de papier avec le sujet de l'examen: «Trouvez la fin de dix proverbes français célèbres.» Sur la feuille, il y avait le début des proverbes. La sorcière éclata de rire:

– Facile! Je les connais bien! Je serai institutrice! Je leur en ferai voir de toutes les couleurs à ces chenapans!

Elle se mit à écrire, et rendit sa copie. Voici ce qu'elle avait écrit:

1) A chaque jour... ... comme à la guerre!

2) Ne remets pas à demain... ... le chat qui dort!

3) Comme on fait son lit... ... on devient forgeron!

4) Il n'est pire sourd que celui qui.. ... perd sa place!

5) Rira bien qui... ... n'a point d'oreille!

6) Pierre qui roule... . . confirme la règle!

7) L'oisiveté est la mère de... ... l'eau qui dort!

8) Mieux vaut tard que... ... ceinture dorée!

9) Il ne faut pas mettre la charrue... ... les mains pleines!

10) Il faut battre le fer pendant... ... qu'il se mouche!

Les examinateurs se mirent à corriger la copie de la sorcière en vérifiant dans un gros livre. Ils barraient les réponses à l'encre rouge l'une après l'autre.

– C'est entièrement faux, dit le premier examinateur.

– Quoi? s'écria la sorcière.

– Voyez vous-même, dit le second en lui présentant le livre. La réponse au premier proverbe «A

CHAQUE JOUR » est : « SUFFIT SA PEINE ». La réponse au second proverbe « NE REMETS PAS A DEMAIN » est : « CE QUE TU PEUX FAIRE AUJOURD'HUI ». Toutes vos réponses sont fausses !

– Mais ! C'est impossible ! s'écria la sorcière en s'emparant du livre.

Elle se mit à le lire avidement. Elle était tellement enragée qu'une grosse fumée verte sortait de ses oreilles. Les examinateurs effrayés préférèrent s'en aller. La sorcière se mit à trépigner, à trépigner, pour changer tous les habitants de la ville, et même de la Terre, en grenouilles. Mais elle réfléchit que si elle faisait cela, il n'y aurait plus un seul enfant à emm..., et qu'elle ne serait jamais institutrice !

Alors elle serra les poings. Puis elle emporta le gros livre chez elle pour l'apprendre afin de mieux faire la morale aux gens et d'être reçue l'année prochaine à son examen. Si elle est reçue, gare à vous !

La recette ? Coupe les proverbes en deux, recolle des morceaux dépareillés !

En 1931, le poète René Daumal écrivit ce « proverbe » :
L'argent ne fait pas le bonheur / mais le silence est d'or.

Harry Mathews, de l'Oulipo (l'Ouvroir de littérature potentielle), composa un petit livre en assemblant des morceaux de poèmes :
Araignée du matin / jeux de vilains.
On a souvent besoin / de tous les vices.
Rien ne sert de courir / les borgnes sont rois.

En assemblant deux parties de proverbes, il a composé des quatrains

A tout seigneur/
Qui vole un œuf/
Tout honneur/
Vole un bœuf.

On peut aussi détourner un proverbe, ce que firent les deux poètes surréalistes Paul Eluard et Benjamin Péret:

Il faut battre le fer tant qu'il est chaud : Il faut battre sa mère tant qu'elle est jeune !

Plus près de nous, J. H. Malineau.
L'habit ne fait pas le moine: La pie ne fait pas le moineau !

Il y a des détournements plus subtils, à partir de jeux de mots. Le grand écrivain Honoré de Balzac fit au XIXe siècle quelques détournements savoureux:

Il ne faut pas courir deux lèvres à la fois. Au lieu de : *deux lièvres.*

La pépie vient en mangeant. Au lieu de : *l'appétit.*
Qui perd ses dettes s'enrichit. Au lieu de : *qui paie.*
L'abbé ne fait pas le moine. Au lieu de : *l'habit.*

Rions!

Car ce dernier détournement sert à composer des fables-express, dont nous reparlerons. Voici tout de même une fable-express dès maintenant, à titre d'exemple. Elle est d'Alphonse Allais, et elle est célèbre: tous les écoliers en connaissent la fin !

> *Lorsque tu vois un chat, de sa patte légère*
> *Laver son nez rosé, lisser son poil si fin,*
> *Bien fraternellement embrasse ce félin.*
> *Moralité: S'il se nettoie, c'est donc ton frère !*

Voici d'ailleurs une blague aussi connue, qui la copie un peu: *Six Russes, c'est six Slaves. Six Slaves, c'est qu'ils se nettoient. S'ils se nettoient, c'est donc ton frère.*

Voici la liste des proverbes français les plus connus. Sépare-les en deux parties, et assemble les parties autrement.

A

A beau mentir qui vient de loin.
A bon chat, bon rat.
Abondance de biens ne nuit pas.
A bon entendeur, salut.
A bon vin point d'enseigne.
Absent le chat, les souris dansent.
A chaque jour suffit sa peine.
A cheval donné, on ne regarde pas à la bride.
A force de forger on devient forgeron.
Aide-toi, le ciel t'aidera.
A la Chandeleur l'hiver cesse ou reprend vigueur.
A la guerre comme à la guerre.
A l'impossible nul n'est tenu.
A l'œuvre on connaît l'artisan.
A menteur, menteur et demi.
Ami au prêter, ennemi au rendre.
A père avare, fils prodigue.
A père prodigue, fils avare.
Après la pluie, le beau temps.
A quelque chose malheur est bon.
A sotte demande, point de réponse.
A tout péché miséricorde.
A tout seigneur tout honneur.
A trompeur, trompeur et demi.
Au besoin on connaît l'ami.
Au bout du fossé la culbute...
Au chant on connaît l'oiseau.
Au danger on connaît les braves.
Au royaume des aveugles les borgnes sont rois.
Autant de têtes, autant d'avis.
Autant de trous, autant de chevilles.
Autres temps, autres mœurs.
Aux derniers, les bons.
Aux grands maux, les grands remèdes.
Aux innocents, les mains pleines.
Avec des *Si*, on mettrait Paris dans une bouteille.

B

Bien mal acquis ne profite jamais.
Bon chien chasse de race.
Bonne renommee vaut mieux que ceinture dorée.
Bon sang ne peut mentir.

C

Ce que femme veut, Dieu le veut.
Ce qui abonde ne nuit pas.
Ce qui est amer à la bouche est doux au cœur.
Ce qui est différé n'est pas perdu.
Ce qui est fait est fait.
Ce qui est fait n'est pas à faire.
C'est au pied du mur qu'on connaît le maçon.
C'est la sauce qui fait le poisson.
C'est le ton qui fait la musique (ou la chanson).
Chacun est le fils de ses œuvres.
Chacun le sien n'est pas trop.
Chacun pour soi, et Dieu pour tous.
Chacun prend son plaisir où il le trouve.
Chacun son métier, les vaches seront bien gardées.
Chaque chose en son temps.
Charbonnier est maître chez soi.
Charité bien ordonnée commence par soi-même.
Chassez le naturel, il revient au galop.
Chat échaudé craint l'eau froide.
Chien qui aboie ne mord pas.
Chose défendue, chose désirée.
Chose promise, chose due.
Comme on connaît les saints, on les honore.
Comme on fait son lit, on se couche.
Connais-toi toi-même.
Contentement passe richesse.

D

Dans le doute, abstiens-toi.
De deux maux, il faut choisir le moindre.
Des goûts et des couleurs, il ne faut pas discuter.
Deux avis valent mieux qu'un.
Deux sûretés valent mieux qu'une.
Dis-moi qui tu hantes, et je te dirai qui tu es.
Donner l'aumône n'appauvrit personne.

E

En avril n'ôte pas un fil, en mai fais comme il te plaît.
En petite tête gît grand sens.
En toute chose, il faut considérer la fin.
Entre l'arbre et l'écorce, il ne faut pas mettre le doigt.
Erreur n'est pas compte.

F

Fais ce que dois, advienne que pourra.
Faute avouée est à moitié pardonnée.
Faute de grives, on prend des merles.
Faute d'un moine l'abbaye ne chôme pas.

G

Grande fortune, grande servitude.

I

Il faut apprendre à obéir pour savoir commander.
Il faut battre le fer pendant qu'il est chaud.
Il faut faire ce qu'on fait.
Il faut faire contre mauvais sort bon cœur.
Il faut garder une poire pour la soif.
Il faut hurler avec les loups.
Il faut laver son linge sale en famille.
Il faut manger pour vivre et non pas vivre pour manger.
Il faut placer le clocher au milieu de la paroisse.
Il faut prendre le bénéfice avec les charges.
Il faut prendre le temps comme il vient.
Il faut que jeunesse se passe.
Il faut que tout le monde vive.
Il faut qu'une porte soit ouverte ou fermée.
Il faut rendre à César ce qui est à César, et à Dieu ce qui est à Dieu.
Il faut saisir l'occasion par les cheveux.
Il faut savoir se prêter.
Il faut semer pour recueillir.
Il faut tondre la brebis et non pas l'écorcher.
Il faut tourner sept fois sa langue dans sa bouche avant de parler.
Il faut vouloir ce qu'on ne peut empêcher.
Il ne faut jurer de rien.
Il ne faut pas acheter chat en poche.
Il ne faut pas courir deux lièvres à la fois.
Il ne faut pas jeter de l'huile sur le feu.
Il ne faut pas jeter le manche après la cognée.
Il ne faut pas juger des gens sur les apparences.
Il ne faut pas manger son blé en herbe.
Il ne faut pas mesurer les autres à son aune.
Il ne faut pas mettre la charrue devant les bœufs.
Il ne faut pas mettre la lumière sous le boisseau.
Il ne faut pas mettre la main entre l'arbre et l'écorce.
Il ne faut pas mettre tous les œufs dans le même panier.
Il ne faut pas vendre la peau de l'ours avant qu'on l'ait pris.
Il ne faut point parler de corde dans la maison d'un pendu.
Il ne faut qu'une brebis galeuse pour gâter tout un troupeau.
Il n'est pas tous les jours fête.
Il n'est pire eau que l'eau qui dort.
Il n'est pire sourd que celui qui ne veut pas entendre.
Il n'est point de rose sans épine.
Il n'est point de sot métier, il n'est que de sottes gens.
Il n'est rien de tel que le plancher des vaches.
Il n'est si petit métier qui ne nourrisse son maître.
Il n'y a guère que la vérité qui offense.

Il n'y a pas de bonne fête sans lendemain.
Il n'y a point de fumée sans feu.
Il n'y a point de règle sans exception.
Il n'y a que le premier pas qui coûte.
Il n'y a que les honteux qui perdent.
Il vaut mieux être seul qu'en mauvaise compagnie.
Il vaut mieux faire envie que pitié.
Il vaut mieux plier que rompre.
Il vaut mieux tuer le diable que le diable nous tue.
Il y a fagots et fagots.
Il y a loin de la coupe aux lèvres.
Il y a temps pour tout.

J

Jeux de main, jeux de vilain.

L

La belle cage ne nourrit pas l'oiseau.
La critique est aisée, et l'art est difficile.
La façon de donner vaut mieux que ce qu'on donne.
La faim chasse le loup du bois.
La fortune est aveugle.
La fortune vient en dormant.
La langue est la meilleure et la pire des choses.
La nuit porte conseil.
La nuit, tous les chats sont gris.
La parole est d'argent, mais le silence est d'or.
La patience vient à bout de tout.
La pelle se moque du fourgon.
La plus belle fille du monde ne peut donner que ce qu'elle a.
L'appétit vient en mangeant.
La prudence est mère de la sûreté.
La raison du plus fort est toujours la meilleure.
L'argent est le nerf de la guerre.
La sauce fait manger le poisson.
La vérité est au fond d'un puits.
L'eau va toujours à la rivière.
Le mieux est l'ennemi du bien.
L'enfer est pavé de bonnes intentions.
Les absents ont toujours tort.
Les affaires sont les affaires.
Les bons comptes font les bons amis.
Les bons maîtres font les bons valets.
Les conseilleurs ne sont pas les payeurs.
Les cordonniers sont les plus mal chaussés.
Les extrêmes se touchent.
Les grandes douleurs sont muettes.
Les grands esprits se rencontrent.
Les grands événements procèdent de petites causes.
Les gros poissons mangent les petits.
Les injures s'inscrivent sur l'airain, et les bienfaits sur le sable.
Les jours se suivent et ne se ressemblent pas.
Les loups ne se mangent pas entre eux.
Les murs ont des oreilles.
Le Soleil luit pour tout le monde.
Les paroles s'envolent, les écrits restent.
L'espérance fait vivre.
Les petits présents entretiennent l'amitié.
Les petits ruisseaux font les grandes rivières.
Les pots fêlés sont ceux qui durent le plus longtemps.
Le temps est un grand maître.
Le temps perdu ne se mesure point.
L'exception confirme la règle.
L'habit ne fait pas le moine.
L'habitude est une seconde nature.
L'homme propose et Dieu dispose.
L'homme récoltera ce qu'il aura semé.
L'occasion fait le larron.
L'oisiveté est la mère de tous les vices.
L'union fait la force.

M

Mauvaise herbe croît toujours.
Mieux vaut avoir affaire à Dieu qu'à ses saints.
Mieux vaut être aimé qu'admiré.
Mieux vaut tard que jamais.
Mieux vaut tenir que courir.

N

Nécessité n'a pas de loi.
Ne forçons point notre talent.
Ne remets pas à demain ce que tu peux faire aujourd'hui.
Ne réveillez pas le chat qui dort.
Ne t'attends qu'à toi seul.
Noblesse oblige.
Nous qui voulons raison garder (*Devise des Capétiens*).
Nul bien sans peine.
Nul n'est prophète en son pays.

O

On a souvent besoin d'un plus petit que soi.
On est puni souvent par où l'on a péché.
On fait de bonne soupe dans de vieux pots.
On ne fait rien pour rien.
On ne peut contenter tout le monde et son père.
On ne peut être à la fois juge et partie.
On ne peut être et avoir été.
On ne peut être partout.
On ne peut pas sonner et aller à la procession.
On ne prête qu'aux riches.
On ne sait qui meurt ni qui vit.
On ne saurait faire une omelette sans casser les œufs.
On n'est jamais mieux servi que par soi-même.
On n'est jamais trahi que par les siens.
On n'est pas louis d'or.
On prend plus de mouches avec du miel qu'avec du vinaigre.
On recule pour mieux sauter.
Où il n'y a rien, le roi perd ses droits.
Où il y a de la gêne, il n'y a pas de plaisir.
Où la chèvre est attachée, il faut qu'elle broute.

P

Paris n'a pas été bâti en un jour.
Pas d'argent, pas de suisse.
Pas de nouvelles, bonnes nouvelles.
Pauvreté n'est pas vice.
Péché avoué est à moitié pardonné.
Petit à petit, l'oiseau fait son nid.
Petite pluie abat grand vent.
Pierre qui roule n'amasse pas mousse.
Plaie d'argent n'est pas mortelle.
Plus fait douceur que violence.
Plus on est de fous, plus on rit.
Pour un moine, l'abbaye ne faut pas.
Pour un point, Martin perdit son âne.
Promettre et tenir sont deux.
Prudence est mère de sûreté.

Q

Quand il pleut pour Saint-Médard, il pleut quarante jours plus tard.
Quand le diable fut vieux, il se fit ermite.
Quand le vase est trop plein, il faut bien qu'il déborde.
Quand le vin est tiré, il faut le boire.
Quand on n'a pas de tête, il faut avoir des jambes.
Quand on parle du loup, on en voit la queue.
Quand on quitte un maréchal, il faut payer les vieux fers.
Quand on veut tuer son chien, on dit qu'il a la rage.
Qui a bu, boira.

Qui aime bien, châtie bien.
Qui casse les verres, les paie.
Qui cherche, trouve.
Qui donne aux pauvres, prête à Dieu.
Qui dort, dîne.
Qui ne dit mot, consent.
Qui n'entend qu'une cloche, n'entend qu'un son.
Qui ne risque rien, n'a rien.
Qui oblige, fait des ingrats.
Qui paie ses dettes s'enrichit.
Qui répond, paye.
Qui se fait brebis, le loup le mange.
Qui sème le vent, récolte la tempête.
Qui se ressemble, s'assemble.
Qui se sent morveux, qu'il se mouche.
Qui s'y frotte, s'y pique.
Qui terre a, guerre a.
Qui trop embrasse, mal étreint.
Qui va à la chasse, perd sa place.
Qui veut aller loin, ménage sa monture.
Qui veut faire l'ange, fait la bête.
Qui veut la fin, veut les moyens.
Qui veut trop prouver, ne prouve rien.
Qui vivra, verra.
Qui voit ses veines, voit ses peines.

R

Rien ne sert de courir, il faut partir à point.
Rira bien qui rira le dernier.

S

Si jeunesse savait, si vieillesse pouvait.
Si le ciel tombait, il y aurait bien des alouettes prises.
Si tu veux qu'on t'épargne, épargne aussi les autres.

T

Tant va la cruche à l'eau qu'à la fin elle se casse.
Tant vaut l'homme, tant vaut la terre.
Tel père, tel fils.
Tel qui rit vendredi, dimanche pleurera.
Tous chemins vont à Rome.
Tous mauvais cas sont niables.
Tout ce qui reluit, n'est pas or.
Toute médaille a son revers.
Tout est bien qui finit bien.
Toutes vérités ne sont pas bonnes à dire.
Tout flatteur vit aux dépens de celui qui l'écoute.
Tout nouveau, tout beau.
Tout passe, tout casse, tout lasse.
Tout vient à point qui sait attendre.
Trop gratter cuit, trop parler nuit.

U

Un bon tiens vaut mieux que deux tu l'auras.
Un coup de langue est pire qu'un coup de lance.
Une fois n'est pas coutume.
Une hirondelle ne fait pas le printemps.
Un homme averti en vaut deux.
Un malheur ne vient jamais seul.
Un mauvais accommodement vaut mieux qu'un bon procès.
Un peu d'aide fait grand bien.

V

Va où tu peux, meurs où tu dois.
Ventre affamé n'a point d'oreilles.
Vouloir c'est pouvoir.

– Si tu es très malin, essaie de faire des jeux de mots sur certains proverbes !

– Si tu veux composer une fable-express, appelle au secours ! Car c'est vraiment très difficile !

On peut aussi purement et simplement nier les proverbes. Ce que fit le romancier russe Dostoïevski : « L'habit fait le moine. »

A BON ENTRECHAT, BON PETIT RAT !

Quelques renseignements sur les sorcières

1) Comment être poli si vous rencontrez une sorcière.

Venez près de cette sorcière. Tournez trois fois en rond, piétinez et récitez un poème de Victor Hugo du dernier mot vers le premier. Ouvrez et refermez trois fois votre ombrelle noire. Tournez le dos et montrez vos fesses. Criez bien fort: «Je te

déteste, vieille bique ! Voici mon derrière !» Si cette vieille bourrique est une sorcière, vous verrez un sourire heureux fleurir sur son horrible mufle vert, pour vous remercier de votre courtoisie.

Si ce n'est point une sorcière, vous serez bien ennuyé !

Pas de A !

2) Lui vendrons-nous un bon parfum ?

On n'a jamais vu ça. Jamais. Car un parfum odorant n'a aucun attrait sur un si vilain crapaud humain à balai puant ! Tout produit fin la fait vomir !

Pas de E !

3) Ces monstresses vont-elles à la pêche?

Non! Elles détestent la pêche parce qu'elles raffolent des vers de terre. Elles ne comprennent pas qu'on perde de savoureux et succulents vers de terre pour capturer des saletés de carpes ou de tanches bourrées d'arêtes.

Pas de I!

4) Est-ce que ces vilaines femmes peuvent pleurer?

Certainement. Afin d'embêter les habitants d'un immeuble la nuit, par exemple. Si les gens entendent vagir un bébé à quatre heures du matin, c'est peut-être un truc d'une de ces magiciennes méchantes. (Afin de s'en assurer, il suffit de piquer la fesse du bébé avec une épingle. Il est plus prudent de ne pas faire l'expérience en présence de la mère de l'enfant.)

Pas de O!

5) Comment écrire à une sorcière dont on ne connaît pas l'adresse.

C'est dangereux. Voici un modèle de lettre:
«Vieille vache!

Je t'écris afin de te demander ton adresse. Comme je ne connais pas ton nom, je laisse l'enveloppe vierge. Si tes horribles copines lisent ma lettre, fais-le-moi savoir, mais je ne sais pas comment, car je n'ai pas de domicile fixe. Comme on ne se connaît pas, ça ne sert à rien de te dire mon nom.

Et bonsoir vieille vache!»

Pas de U!

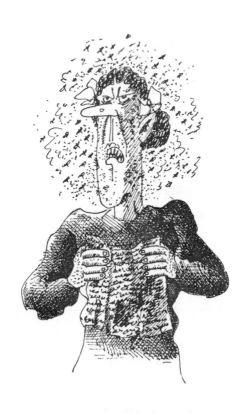

Le jeu du lipogramme existe depuis l'Antiquité.

Au XVIᵉ siècle, le grand écrivain espagnol Lope de Vega publia cinq nouvelles en prose, sans A, sans E, etc.

Au XIXᵉ siècle, G.P. Philomneste composa vingt-cinq quatrains moraux ; dans chaque quatrain, il escamotait une lettre de l'alphabet.

Quatrain sans T :

Voulez-vous vivre en paix ? D'abord en homme sage,
Renoncez à l'amour ainsi qu'au mariage.
Ne vous laissez jamais guider par les plaisirs ;
Fuyez avec soin l'amorce des désirs.

Le plus long lipogramme a été écrit par Georges Perec en 1969. Il s'agit d'un livre entier, «La disparition», sans la lettre E.

En voici quelques phrases :

Anton Voyl n'arrivait pas à dormir. Il alluma. Son Jaz marquait minuit moins vingt. Il poussa un profond soupir, s'assit dans son lit, s'appuyant sur son polochon. Il prit un roman, il l'ouvrit, il lut ; mais il n'y saisissait qu'un imbroglio confus, il butait à tout instant sur un mot dont il ignorait la signification.

Inversement, trois ans plus tard, Perec écrivit un petit livre en n'utilisant cette fois que la voyelle E !

Commence par te priver d'une lettre qu'on ne rencontre pas trop souvent dans la langue française !

La lettre la plus difficile à supprimer est la lettre E ! *Attention* : supprimer le *e* veut dire qu'on supprime aussi *é, è, ê* !

Lis ce lipogramme qui est l'œuvre d'une fillette. Essaie de deviner quelle voyelle manque.

Toutes les rues sont illuminées. Le jour se lève. Nelly et Séverine se réveillent brusquement pour descendre voir les vitrines décorées de jouets, de petites boules multicolores… Le jour décline, c'est le crépuscule, on ne voit plus qu'une moitié de soleil. Les filles rentrent pour dormir. Bientôt Noël ! Cette nuit, le père Noël descend des jouets pour tout le monde. Il est vêtu de rouge et ses bottes sont noires… Le jour se lève encore. Les petites filles courent vers leurs jouets, elles sont contentes. Vive Noël !

Le duc et le nain

Un jour, le duc fit un grand sac. Il mit dans le grand sac son or et ses sous. Puis il fit un trou dans le sol et il y mit le gros sac.

La nuit, un nain vint sans bruit. Il prit l'or et les sous et s'en fut. Mais dès qu'il fit jour, il vint voir le duc :

– Duc, dit-il, j'ai là vingt sacs d'or. Que me vends-tu pour ce prix ?

– Je te vends mes champs, dit le duc.

– Bon, dit le nain.

Il fit don de « son » or au duc et il prit les champs. Puis il s'en fut. Le duc mit l'or dans le sol dès que la nuit fut là.

Et le nain vint sans bruit : il prit l'or et les sous.

Puis il vint voir le duc dès qu'il fit jour :

– Duc, dit-il. J'ai des sous et de l'or. Que me vends-tu, ce coup-ci ?

– Je te vends mes bois, dit le duc.

– Bon, dit le nain.

Il fit don de l'or et des sous au duc et prit les

grands bois. Puis il s'en fut. Le duc, très gai, mit l'or
et les sous dans le sol dès la nuit.

Le nain vint sans bruit : il prit l'or et les sous. Puis
il vint voir le duc dès qu'il fit un peu clair :

– Duc, dit-il, j'ai de l'or et des sous, au moins
vingt sacs. Que me vends-tu ?

– Ce coup-là, je te vends mon yacht qui est sur la
mer bleue, dit le duc.

– C'est bon, dit le nain. Je le prends.

Il fit don de l'or au duc et prit le beau yacht blanc. Il fit un tour sur les flots. Le duc mit son or dans le sol à la nuit.

Mais le nain vint sans bruit dès qu'il put. Il prit l'or dans ses mains. «Quel sot que ce duc!» se dit-il. «Il croit que c'est mon or et c'est le sien!»

Mais il vint voir le duc dès qu'il fit jour:

– Duc, dit-il, j'ai plein d'or. Que me vends-tu?

– Je ne sais pas, dit le duc. Je n'ai plus de champs, je n'ai plus de bois, je n'ai plus de yacht. Veux-tu ma Rolls?

– Je veux bien, dit le nain.

Le duc prit les sous. Il les mit dans le sol dès le soir. «J'en ai plein! plein! plein!» se dit-il.

Mais le nain vint sans bruit et prit l'or et les sous. «Quel fou que ce duc! Je prends son or et il ne voit rien! Il croit que je le paie! Quel fou!»

Le nain vint voir le duc dès qu'il fit un peu clair:

– Duc, dit-il, j'ai de l'or. Que me vends-tu?

– Mais où prends-tu tout cet or? dit le duc. Tu en as bien plus que moi!

– Non, dit le nain. J'en ai quand tu en as, et tu en as quand j'en ai.

– Ah bon, dit le duc. Mais je n'ai plus ni champs, ni bois, ni yacht, ni Rolls. Que veux-tu ce coup-ci?

– Vends-moi ton fief, dit le nain.

– Mon fief! dit le duc. Mais si je te le vends, moi je n'en ai plus! Et je ne suis plus rien du tout! Si tu prends mon fief, c'est toi qui es le duc!

– C'est sûr, dit le nain. Mais tu as tant d'or et tant de sous!

– Oui, dit le duc, mais…

– Prends ton or et tes sous! dit le nain. Et va voir le roi! Dis-lui que tu veux la main de sa sœur!

– Ma foi, c'est vrai, se dit le duc.

(Et si le roi me fait don de la main de sa sœur, c'est moi qui suis le roi le jour où le roi meurt, car il est très vieux!)

Donc il prit l'or du nain et lui fit don de son fief. Puis il dit à ses gens:

– C'est le nain qui est le duc.

Et il s'en fut, très fier.

A la nuit, il fit un grand trou, un très grand trou dans le sol.

«Le nain m'a fait don d'au moins cent sacs d'or!» se dit-il. «Mais où donc sont ces sacs? Où est mon or? Je ne le vois pas? Rien! Ni or ni sous! Plus rien dans le sol!»

– Oh! Ce nain m'a eu! dit le duc tout à coup.

Mais trop tard. Plus de champs, plus de bois, plus

de yacht, plus de Rolls, plus de fief, plus de duc…
et pas de sœur du roi! Rien! Plus rien!

— En fait de roi, c'est moi le roi des c…!

Tous les mots de ce conte ont une seule syllabe!

Voici un vers de Racine («Phèdre»):
Le jour n'est pas plus pur que le fond de mon cœur…
Tous les mots ont une seule syllabe.

Au XIXᵉ siècle, Léon Valade fit trois jolis sonnets monosyllabiques. Voici celui sur l'amour maternel:
Qu'on
Change
Son
Lange!

Mange
Mon
Bon
Ange.

Trois
Mois
D'âge!…

Sois
Sage:
Bois.

Voici les premiers vers d'un poème de Jules de Martold. Tous les mots sont d'une seule syllabe!
Nul bruit, nul cri, nul choc dans les grands prés de soie
Où tout rit et sent bon sous le ciel bleu du soir,
Où, sauf le ver qui luit, on ne peut plus rien voir,
Où le chat-lynx des bois va, court et suit sa proie;
etc…

Et maintenant, pour sourire, lis cet extrait d'un livre du XVIe siècle. Il s'agit du «Cinquième Livre» de François Rabelais dans lequel Panurge, qui a envie de se marier, a entrepris un long voyage fantastique pour demander l'avis de l'Oracle de la Dive Bouteille. En chemin, il rencontre un moine Fredon qui ne parle que par monosyllabes. Panurge lui demande comment sont les femmes de son pays:

PANURGE. – Je suppose qu'elles n'ont pas toutes le même âge, mais quel corsage ont-elles?
LE FREDON. – Droit.
PANURGE. – Quel teint?
LE FREDON. – Lis.
PANURGE. – Les cheveux?
LE FREDON. – Blonds.
PANURGE. – Quels yeux?
LE FREDON. – Noirs.

PANURGE. – Les tétons?

LE FREDON. – Ronds.

PANURGE. – Le minois.

LE FREDON. – Court.

PANURGE. – Les sourcils?

LE FREDON. – Mous.

PANURGE. – Leurs attraits?

LE FREDON. – Mûrs.

PANURGE. – Leur regard?

LE FREDON. – Franc.

PANURGE. – Quels pieds?

LE FREDON. – Plats.

PANURGE. – Les talons?

LE FREDON. – Courts.

PANURGE. – Quels bas?

LE FREDON. – Beaux.

PANURGE. – Et les bras?

LE FREDON. – Longs.

    Etc. Etc.

    Écris des phrases courtes avec des mots d'une seule syllabe, ou écris, comme Rabelais, un dialogue dans lequel un personnage répond à l'autre par des monosyllabes. (Tu pourras jouer ensuite cette scène comme au théâtre avec un camarade!)